André Barbeiro

POR QUE SEU FILHO NÃO APRENDE MATEMÁTICA?

2022

Por que seu filho não aprende matemática?
Copyright © André Barbeiro

1ª edição: Junho 2022

Direitos reservados desta edição: CDG Edições e Publicações

O conteúdo desta obra é de total responsabilidade do autor
e não reflete necessariamente a opinião da editora.

Autor:
André Barbeiro

Preparação:
João Paulo Putini

Revisão:
Letícia Teófilo

Projeto gráfico e capa:
Deborah Takaishi

DADOS INTERNACIONAIS DE CATALOGAÇÃO NA PUBLICAÇÃO (CIP)

Barbeiro, André
    Por que seu filho não aprende matemática? / André Barbeiro.
    — Porto Alegre : Citadel, 2022.
    128 p. : il.

ISBN 978-65-5047-136-1

1. Matemática – Estudo e ensino 2. Educação 3. Prática de
    ensino I. Título

22-2826   CDD 370.71

Angélica Ilacqua - Bibliotecária - CRB-8/7057

Produção editorial e distribuição:

contato@citadel.com.br
www.citadel.com.br

À minha amada esposa, Laís,
e aos meus futuros filhos.

"A matemática é o alfabeto com o qual Deus escreveu o universo."
GALILEU GALILEI

Agradecimentos

Em primeiríssimo lugar, gostaria de agradecer a Deus por todas as graças derramadas em minha vida. De maneira especial, a bênção de permitir a escrita deste livro e o privilégio de me fazer compreender a real dimensão da minha prática docente.

Agradeço aos meus pais, Alexandre e Áurea, pelos incansáveis incentivos para que este livro se concretizasse. Agradeço, também, à minha irmã Adriana, por ser a melhor irmã que eu poderia ter e por ser meu exemplo maior na área da educação.

Agradeço ao Programa de Pós-Graduação em Educação: Currículo da PUC-SP e ao meu supervisor de pós-doutorado, professor Marcos Tarciso Masetto.

Agradeço ao professor Clóvis de Barros Filho e à editora Citadel, por acreditarem no meu trabalho e por permitirem a realização deste grande sonho.

Agradeço aos colégios por onde passei e a cada um dos meus alunos, por me inspirarem, todos os dias, a ser um melhor professor.

Sumário

Prefácio – Clóvis de Barros Filho
11

Introdução
21

CAPÍTULO 1. Matemática: a mais humana das ciências
29

CAPÍTULO 2. A tradição do "bicho de sete cabeças"
43

CAPÍTULO 3. Mudando paradigmas
53

CAPÍTULO 4. A matemática em contexto
75

CAPÍTULO 5. A proposta do Novo Ensino Médio
e o protagonismo do adolescente
97

APÊNDICE. O Princípio da Casa dos Pombos
na educação básica
111

Referências bibliográficas
125

Prefácio

Agora é tarde!

Clóvis de Barros Filho
Livre-docente pela ECA-USP

Prazos expiram. E este, às 12h do meio-dia. O afogadilho do prefácio é pela edição do livro que segue.

O torniquete, que já estrangula, é apertado pelo comercial, sempre ávido por aproveitar boas vendas. Sobretudo na iminência de grandes eventos endinheirados, de consumo concentrado e massivo.

O texto sobre o ensino da matemática já está pronto e revisado há um par de estações. Esperando com paciência por esse abre-alas. Qualquer atraso na publicação da obra será de minha inteira responsabilidade.

O que leem são linhas inaugurais. Desvirginam destemidas, manchando de tinta e respingo o que eram só páginas imaculadas. Antes delas, só mesmo o título e o sumário. Autênticos vestidos alvíssimos de noiva moça.

Concordo com os que imputam às primeiras impressões a disposição do leitor para o resto. E essas estão sob meus carinhos e preliminares.

A sensação do escriba é a mesma dos que tocam na bola pela primeira vez numa final de campeonato.

— Fique à vontade, professor. O prefácio é seu.

Ah. Faz lembrar a *prima notte*. Suserania e vassalagem. Obrigações feudais.

De fato, não há regras universais para prefácios. A não ser a óbvia antecedência. Sabemos que todo pré vem antes. Mas o que deve ele conter, nem mesmo o céu configura limite. Sobretudo em tempos de astrofísica no auge da moda.

A própria relação dessas primeiras linhas, de autoria estrangeira, com o livro propriamente dito é incerta.

Oferecer um resumo seria empobrecer o que segue. Roubar-lhe o ineditismo. Macular a surpresa.

O mesmo vale para uma síntese ou coisa que o valha.

Destacar um ou outro aspecto da obra, um capítulo, uma ideia, em detrimento do resto, pode enviesar a leitura. Impor uma hierarquia de importâncias que por certo não coincide com o entendimento do autor.

Indicar a importância do tema geral da obra pode ser uma saída já desesperada.

Mas, convenhamos...

Um assunto que precisa se justificar logo de cara parece não ter a relevância óbvia que dispensaria toda a argumentação. Ninguém defende a excelência literária de Machado de Assis ou Fernando Pessoa sem cair no ridículo.

Já imaginou o Messi, numa roda de boleiros televisada, explicando por que avalia seu trabalho como muito bom?

★★★

Falar sobre o autor, digo, sobre a sua pessoa, sua vida, seu jeito de ser, também pode ser uma boa. Sobretudo neste caso. O do André Barbeiro. Filho do Seu Alexandre.

Trata-se de um talento imenso, cujo reconhecimento — inexorável em tempos vindouros —

constrói-se nos dias que correm, nos limites rigorosos da ética e da decência, atributos escancarados do autor.

De fato. É preferível com folga biografias e traços de personalidade do que matemática. Ao menos para mim. Mas a solução é fácil só na aparência. Afinal, o que mais dizer sobre o autor, de relevância indiscutível, que já não constasse, com precisão imbatível, ao acesso de um clique?

Seu currículo consta, exaustivo, nos Lattes da vida. A trajetória profissional nas redes específicas a esse fim. Suas crenças e convicções, nas redes mais genéricas. A excelência como matemático, isso atestarão os especialistas de nosso país e de além-mar.

E que se trata de um humano cheio de virtudes morais, o aceite para o prefácio já denuncia o diagnóstico.

Se, ao menos, ele, o André, autor do livro, tivesse estipulado um tema. Mas assim, de A a Z, tipo Jesus Cristo, Pelé e Marx, a largueza não facilita.

Ocorreu-me, então, falar do tempo. Afinal, estamos inaugurando um. Da propositura de um novo ensino da matemática.

Haverá quem diga que o tempo não existe. Eu, do meu lado, espero que exista. Porque nasci em 1965. E morrerei em algum ano abençoado por Nosso Senhor. Sou, portanto, temporal.

Bem como o próprio André, menino bom toda a vida, seu pai excelente, Alexandre, mais da minha geração e homem virtuoso, e sua irmã Adriana. Não poderia excluir da lista desses temporais de vida finita a Laís, o grande amor da sua vida.

Como podem ver, precisamos todos de algum tempo para poder existir também.

Talvez, esse tempo seja mesmo só um jeito, bem humano, de organizar experiências em sequência. Afinal, mesmo sem nos darmos conta, as coisas acontecem, para nós, sempre umas antes das outras. Ou depois.

Nesse caso, ele, o tempo, já nasceria conosco. Obrigando-nos a viver um anterior e um posterior que põe uma certa ordem na casa. Um modo, não escolhido, de conhecer as coisas do mundo.

Tempo já presente, justamente, antes de qualquer encontro. Por isso, mesmo que quiséssemos, não conseguiríamos evitá-lo. O "antes" e o "depois" se imporiam. Nada a fazer.

Na matemática não parece ser diferente. Tempo, espaço e números dançam "Ciranda, cirandinha" desde os primórdios. E o um vem sempre antes do dois, quando se parte do zero. Por mais relativista e cheio de "dependes" que seja o nobre cliente-leitor.

Pensando bem, não sei se falar sobre o tempo neste prefácio é uma boa. Parece abstrato demais. E depois, começar um livro — que se dedica a facilitar entendimentos — com Kant e sua *Crítica da razão pura* parece arruinar o projeto em seus primeiros raios frustrados de luz.

★★★

Ocorreu-me, então, dada a premência, para não ter que tirar mais essa folha da máquina de escrever com raiva, amassá-la em esférico como muitas outras e arremessá-la ao cesto, conferir ao tempo já descrito um pouco de cor.

Para não o perder ainda mais, recorri a Agostinho. E ao seu famoso livro XI das *Confissões*. Texto que me é familiar desde as aulas de ensino religioso do lusitano tio Gaspar.

Para o gigante pensador africano, nada de material existe no passado. Tampouco no futuro. Portanto, de tempo, só há mesmo o presente.

É nele, no presente, que produzimos o que chamamos de passado. Que não passa de lembranças — elaboradas aqui e agora — do já vivido. O passado só existe porque é presente. A sua lembrança é tão presente quanto o gosto do vinho que você ora sorve.

Lembrança de uma conversa com o André.

— Professor, acabei a graduação. Pretendo fazer mestrado. Mas meu orientador sugere que eu me inscreva diretamente no doutorado. Estou sem saber o que fazer. O que o senhor acha?

— Seu orientador te conhece melhor do que eu. Sobretudo no que diz respeito à sua competência na área. E conhece muito o programa, sobre o qual não tenho a menor ideia. Portanto, vá para o doutorado, sem olhar nem de lado nem para trás.

O mesmo dito sobre passado e lembranças vale para o futuro. Que antecipa na imaginação do estrito presente as ocorrências do devir, do vir a ser.

Futuro que só existiria nele mesmo se nos deslocássemos em velocidade superior à da luz. Futuro, portanto, que, como o passado, também é 200% produzido neste instante presente, em que a vida se encontra.

Por mais que os ponteiros avancem rápido demais, sobretudo pela manhã, não sei se essa história do tempo vai interessar. Ainda mais para um simples prefácio que ninguém gosta muito de ler.

Verdade que essa do Agostinho deixou o texto mais leve. Sobretudo em face do que poderia ficar se insistíssemos com as categorias *a priori* do pensamento. Ainda assim, com as *Confissões* e tudo, este pálido arremedo sobre o tempo não rivaliza, nem por um segundo, com as fascinantes dancinhas do TikTok, por exemplo.

Pensei, então, em começar pelo começo. E falar do nosso pai fundador. O mais sábio dos homens. Sócrates. Que, por saber que não sabia nada, sabia mais do que todos os outros juntos. Esses mesmos, que sempre ignoraram tudo. Inclusive a própria ignorância.

Ocorreu-me à mente, neste instante, os vestiários masculinos que frequentei, em silêncio de mais de meio século. Os femininos, não os conheço. A não ser por relatos. A lembrança de algumas vozes fortes, em alto e bom som, de homens cheios de si. Que sempre sabem muito, sobre quase tudo.

Como poderia um ignorante, ainda que ciente de sua ignorância, despertar o interesse de sabichões, cuja inteligência faz dos grandes mistérios do universo uma total obviedade, cujas explicações não tardam mais do que o tempo de trocar de roupa?

Melhor jogar limpo com você. Contar logo de uma vez tudo que me passou pela cabeça. Mesmo tendo certeza da impertinência. De que Kant, Agostinho e Sócrates deveriam ter ficado para depois. Quando eu e você já tivéssemos sido apresentados. De que temas como amor, alegria e felicidade teriam sido preferíveis.

Mas agora é tarde. Não há mais tempo. E depois, prefaciadores não costumam ter uma segunda chance. Sei que fracassei. Mas sei também que posso contar com a sua indulgência. E com sua vã esperança de que, em algum tempo, prefácios melhores virão.

Ah! Ia me esquecendo. Em tempo.

Ou aperfeiçoamos o ensino, de um modo geral, e o da matemática, em particular, ou continuaremos onde estamos: chafurdados na ignorância cega, esmagados pela concorrência do além-fronteiras, e empobrecidos por uma incompetência crônica que nos habitua ao medíocre e nos afasta, ululando, de toda excelência redentora.

E como a história de nossa educação não é um código genético a nos determinar, urge virar logo essa página escura. E fazer das escolas desse país a instituição mais importante de nossa existência compartilhada. E de seus professores, como o jovem André, autor deste livro e docente de matemática, os líderes, os timoneiros dessa difícil travessia.

Se o mundo do capital pode, em nome de seus lucros, exigir que nos "reinventemos", pois cabe a nossa cidadania, com propósito muito mais nobre, arregaçar as mangas, "sair de sua zona de conforto" e redefinir, em urgência máxima, como preparar os infantes que ora começam a encarreirar suas primeiras letras, em vista clara e luminosa do mundo outro em que gostaríamos que vivessem.

Introdução

Caríssimos leitores e caríssimas leitoras, é com imensa alegria que vos apresento esta obra, fruto de reflexões e vivências pessoais como professor de matemática da educação básica e do Ensino Superior. Longe de ser um livro pautado em assuntos puramente matemáticos, esta obra busca refletir e compreender os motivos pelos quais nossos filhos e alunos encaram a matemática como uma matéria extremamente difícil, complicada, abstrata e distante da realidade cotidiana. Com efeito, durante meus anos de docência no ensino da matemática, pude vivenciar diversas situações em que o estudante, seja por um medo intrínseco em relação à matemática, seja por um afastamento da realidade concreta da sua vida, acaba por não se interessar pela beleza que a matemática poderia trazer em sua vida pessoal e coletiva, bem como em sua vida profissional. Também buscaremos compreender de que modo a matemática se torna aliada na formação humana, intelectual e social de todo estudante, bem como de que maneira ela pode contribuir na formação de valores que estão intimamente ligados ao seu pleno desenvolvimento e de seu projeto pessoal de vida, temas que têm sido cada vez mais discutidos em virtude da proposta do Novo Ensino Médio e da Nova Base Nacional Comum a Curricular (BNCC).

Quando observamos os resultados do Brasil no Programa Internacional de Avaliação de Estudantes (Pisa), nos deparamos com uma triste realidade: dentre mais de setenta países que participam desse exame, o Brasil se apresenta entre os dez piores quando o assunto é a matemática, sendo que, de acordo com o resultado divulgado em 2018, apenas um terço dos brasileiros com quinze anos sabe o mínimo necessário da disciplina. O exame, cujas provas foram aplicadas em 2018, é realizado pela Organização para Cooperação e Desenvolvimento Econômico (OCDE). Os resultados negativos para a educação brasileira foram verificados mesmo com a expansão da lista dos países participantes, que passaram de setenta para oitenta.

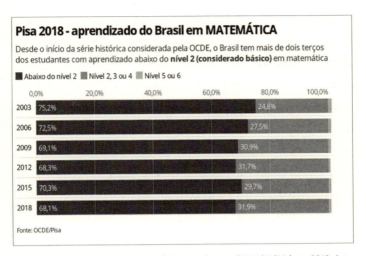

Disponível em: https://g1.globo.com/educacao/noticia/2019/12/03/pisa-2018-dois-tercos-dos-brasileiros-de-15-anos-sabem-menos-que-o-basico-de-matematica.ghtml
Acesso em: fev. 2022.

Além do resultado alcançado no Pisa, outro estudo nacional, divulgado em 2019 pelo Sistema de Avaliação do Ensino Básico (Saeb), nos apresenta um cenário ainda mais dramático: 95% dos brasileiros terminam a escola pública no país sem o conhecimento esperado em matemática. Só 5% deles conseguiam, por exemplo, no terceiro ano do Ensino Médio, resolver problemas usando probabilidade ou o Teorema de Pitágoras. O resultado, como podemos concluir, é muito grave e, infelizmente, por conta da pandemia da covid-19, temos a certeza de que a situação se agravou ainda mais nas escolas públicas do país. Com efeito, de acordo com os resultados divulgados pelo Sistema de Avaliação de Rendimento Escolar do Estado de São Paulo (Saresp) em março de 2022, podemos perceber a dramática situação do estudante paulista:

- Em matemática, o aluno conclui o Ensino Médio com conhecimento do sétimo ano do Ensino Fundamental.
- Para os alunos do terceiro ano do Ensino Médio, que estão finalizando o ciclo educacional básico, o recuo ficou em 4,4%, de 276,6 para 264,2: o pior índice em onze anos, com 58,7% dos alunos com nível de conhecimento matemático abaixo do considerado básico.
- Aqueles alunos que concluíram o quinto ano estão com a mesma habilidade matemática esperada de um estudante do segundo ano do Ensino Fundamental.
- Esses dados mostram que 96% dos estudantes que concluíram o Ensino Médio na rede estadual de São Paulo não sabem interpretar dados estatísticos nem resolver equações do primeiro grau.

Contudo, para além de lamentarmos os resultados ruins alcançados pelos estudantes brasileiros, este livro buscará apresentar possíveis mudanças nos paradigmas do ensino da matemática que, a meu ver, poderão contribuir de forma significativa para a melhoria de seu ensino no Brasil. Não possuo a verdade absoluta, bem longe disso... Esta obra é consequência de reflexões sinceras e experiências pessoais vividas enquanto professor apaixonado, não apenas pela matemática, mas, sobretudo, pelos meus alunos. Um professor que busca se doar ao máximo em prol do pleno desenvolvimento do estudante e que utiliza a matemática como meio para alcançar tal finalidade. Que esta obra possa trazer reflexões interessantes no tocante ao ensino da matemática e que os frutos possam ser colhidos por nós, pais e professores, mas principalmente pelos nossos filhos, pelos nossos alunos e pelas futuras gerações de brasileiros.

Gostaria de encerrar esta introdução trazendo minha experiência pessoal de vida, como um aluno que, nos tempos de colégio, era considerado um zero à esquerda quando se tratava da matemática: durante quatro anos, desde a quinta série do antigo Ensino Fundamental II até a oitava série, minhas notas na disciplina eram baixíssimas – sempre giravam em torno de dois pontos – e, por quatro anos consecutivos, fui aprovado pelo conselho do colégio onde estudei. Porém, no Ensino Médio, pude experimentar a alegria de me reencontrar de um jeito diferente com a matemática e de provar para mim mesmo que sim, eu era capaz de aprendê-la verdadeiramente. Caro leitor, você deve estar se perguntando: como isso foi possível? Como você se transformou de um aluno que tirava notas baixíssimas em um professor de matemática? A verdade é que foi uma mistura de coisas... Além da vontade pessoal de vencer a barreira – inclusive psicológica – que eu possuía com a matemática, sem dúvidas foram as experiências que tive com professores incríveis que nunca desistiram de mim e que sempre acreditaram no meu potencial – ainda escondido, é verdade – e que me fizeram acreditar que, com disciplina, dedicação e trabalho árduo, eu poderia vencer todos os obstáculos que a matemática colocava para eu superar. E desse tempo de menino, lá na escola, aprendi algo especial que levo todos os dias para a sala de aula, em minha prática docente: não desistir de nenhum aluno meu. Nunca! Afinal de contas, se tivessem desistido de mim na época em que eu era estudante, será que hoje eu estaria escrevendo este livro? Será que eu teria me transformado em professor?

Caro leitor, cada aluno deve ser especial. Ainda que eu tenha, diante de mim, uma sala com trinta ou quarenta estudantes, é preciso olhar para cada um deles de maneira individualizada, buscando acompanhá-lo em suas necessidades pedagógicas e, para além disso, em suas necessidades humanas, emocionais e sociais. Costumo brincar com minha família e com meus colegas de trabalho dizendo que a profissão de professor nunca deve ser comparada ao agronegócio, mas sim a de um cuidador de bonsai, pois cada aluno diante de nós merece toda nossa atenção e todo nosso carinho. Trata-se de um sacerdócio diário: a entrega constante buscando sempre o melhor de nossos alunos, mas não apenas no sentido coletivo de "nossos alunos", e sim de cada aluno individualmente.

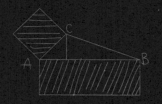

$$a^2 = b^2 + c^2 - 2bc \cos \alpha$$

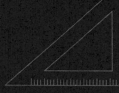

Capítulo 1

$$S_3 = \begin{bmatrix} 1 & 0 & 1 \\ 1 & 0 & 1 \\ 1 & 0 & 1 \\ 1 & 0 & 1 \end{bmatrix}$$

$$(a+b)^2$$

$$\tan(2a) = \frac{2\tan(a)}{1 - \tan^2(a)}$$

$$\sin \frac{A}{2} = \sqrt{\frac{1 - \cos A}{2}}$$

$\left(\dfrac{a}{B}\right)^n = \dfrac{a^n}{B^n}$

$x^2 + (y^2 - \sqrt[3]{x^2})^2 = 1$

$\csc(-x) = -\csc(x)$

$\lim\limits_{h \to 0} \dfrac{f(x_0+h) - f(x_0)}{h}$

Matemática: a mais humana das ciências

$\quad = (x_n/2)(3 - ax_n^2)$

$\pi = 3{,}141592\ldots$

$ax = -\dfrac{ax}{2x}$

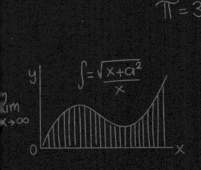

Por que seu filho não aprende matemática?

O que passa pela nossa cabeça quando ouvimos a palavra matemática? Qual a primeira ideia que nos vem à mente? Provavelmente, muitos de nós associarão matemática com algo chato, abstrato, distante da realidade e que, durante a adolescência, nos atormentou na época de provas mensais e bimestrais. Porém, o que passaria pela mente de um grego ou egípcio do século 3 a.C. se fizéssemos a mesma pergunta? Para eles, a matemática os ajudava a responder grandes questões da filosofia, bem como os auxiliava em diversas questões cotidianas, tais como a agricultura, as relações comerciais, a arte e a arquitetura.

A história do Antigo Egito, por exemplo, está intimamente ligada ao rio Nilo pois, como os historiadores nos contam, à medida que a civilização egípcia crescia, tornou-se necessária a divisão de terras, assim como o bom aproveitamento das cheias do rio. O desenvolvimento da agricultura e a necessidade cada vez maior da divisão de terras foram um estímulo enorme para o desenvolvimento da matemática egípcia e, em especial, daquilo que hoje chamamos de geometria, cuja origem etimológica nos recorda seu uso primitivo e primordial: medir porções de terra[1]. Ainda no que diz respeito à geometria, não podemos nos esquecer da pirâmide de Quéops, também conhecida como a Grande Pirâmide. É o monumento mais pesado já construído pelo homem na Antiguidade. De acordo com informações recentes, estima-se que ela possua aproximadamente dois milhões de blocos de rocha, cada um dos quais pesando, em média, duas toneladas e meia. Mas qual teria sido o motivo de sua construção? Alguns historiadores relatam que as pirâmides eram construídas para guardar os corpos dos faraós, que, na época, eram vistos como divindades que mediavam as relações entre os deuses egípcios e os seres humanos. Ou seja, a matemática, nesse caso, estava a serviço da engenharia e da espiritualidade, pois todas as pirâmides representavam, por excelência, a simetria, a beleza e a ordem, tão intrinsecamente contidas em todas as divindades egípcias.

---

1 Origem etimológica da palavra geometria: *geo* (terra) e *métron* (medir).

Pirâmide de Quéops vista de cima
Disponível em: https://www.sitedecuriosidades.com/curiosidade/piramide-de-
-queops.html. Acesso em: jan. 2022.

Além da agricultura, das demarcações de terra e das pirâmides, os egípcios são responsáveis, também, por empregar a matemática para observar os astros no céu e criar o calendário que usamos no mundo ocidental. A partir do movimento do Sol e da Terra, eles distribuíram os dias em doze meses ou 365 dias. Do mesmo modo, estabeleceram que o dia tem aproximadamente 24 horas.

Veja, meu caro leitor, que no Egito Antigo a matemática servia a uma necessidade maior, relacionada ao dia a dia daquelas pessoas, a seu trabalho, à sua casa, à sua família e à espiritualidade. Toda a matemática do Antigo Egito buscava enraizar-se em necessidades reais e concretas das pessoas e, como podemos observar, o seu desenvolvimento se dava na mesma medida em que os egípcios procuravam se aperfeiçoar, tanto como cidadãos quanto como civilização.

Talvez você esteja se perguntando: tudo bem, compreendo que a matemática egípcia estava intimamente ligada ao dia a dia daquelas pessoas! Mas podemos dizer o mesmo dos gregos? Pois, como aprendi na escola, a matemática grega estava relacionada à filosofia grega e, pelo que eu me lembre dos tempos da escola, a filosofia não nos traz para uma realidade concreta, real e cotidiana! Aí é que você se engana: toda a filosofia grega buscava compreender o homem em suas dimensões pessoais e coletivas; portanto, conceitos como felicidade, moral e ética se mostravam cada vez mais necessários na hora de refletir sobre a arte do viver e do conviver. O que é uma vida boa? O que é uma vida feliz? Muitos filósofos gregos, como Sócrates, Platão e Aristóteles, buscaram, cada qual a sua maneira, responder a essas perguntas.

Os gregos usaram a matemática tanto para fins práticos como filosóficos. Aliás, um dos requisitos do estudo da filosofia era o conhecimento da matemática, especialmente da geometria. Tanto era assim que Platão, um dos mais importantes e famosos filósofos gregos, fundou em Atenas uma importante escola, chamada Academia, em cuja porta escreveu o lema: "Não entre se não souber geometria". A Academia era uma espécie de ambiente onde se estudava a matemática, a geometria, a música, a astronomia e, é claro, buscava-se refletir sobre questões filosóficas.

Quando o assunto é o ser humano e os seus sentimentos e afetos, com toda certeza pensamos na música como uma das principais formas de manifestação artística. Mas qual a relação da música com a matemática? Ou melhor, será que existe alguma relação entre música e matemática? A resposta para essa pergunta é sim! A música, que nada mais é do que a combinação organizada de diferentes sons e ritmos, foi motivo de amplo estudo por parte de um grande filósofo grego conhecido por muitos: Pitágoras. Ele foi um dos primeiros a observar que todos os fenômenos naturais poderiam ser traduzidos por relações matemáticas. A música era, para Pitágoras, um elemento natural, bem como a terra, o ar, a água e o fogo e, portanto, assim como todos os outros elementos naturais, seria composta por números e relações numéricas. Surgia assim aquilo que hoje conhecemos por escalas musicais ou, se quisermos dar crédito ao seu descobridor, escalas pitagóricas.

Mas de que modo a matemática entra na jogada? Quando um compositor cria uma nova melodia, ele expressa uma maneira de escrita chamada notação musical. Quem estuda música sabe que o modo pelo qual medimos os tempos musicais são chamados *semibreves*, e é exatamente aqui que as frações aparecem: elas surgem como a maneira de descrever intervalos de tempo menores. Por exemplo, considere a tabela a seguir. Cada símbolo desenhado na tabela representa a metade do anterior. Ou seja, uma *mínima* é a metade de uma *semibreve,* uma *semínima* é a metade de uma *mínima*, e assim por diante. Todos esses símbolos representam a duração das notas de uma música em particular.

Nome	Imagem	Duração
Semibreve		1
Mínima		$\frac{1}{2}$
Semínima		$\frac{1}{4}$
Colcheia		$\frac{1}{8}$
Semicolcheia		$\frac{1}{16}$
Fusa		$\frac{1}{32}$
Semifusa		$\frac{1}{64}$
Quartifusa		$\frac{1}{128}$

Observe, portanto, que a combinação de duas *mínimas* é equivalente a uma *semibreve*, pois $\frac{1}{2} + \frac{1}{2} = 1$. Ou ainda, note que a combinação de uma *semínima* e duas *colcheias* são equivalentes a uma *mínima*, pois $\frac{1}{4} + \frac{1}{8} + \frac{1}{8} = \frac{1}{2}$. A combinação de notas forma aquilo que conhecemos por compasso musical.

Depois de tudo o que foi dito até aqui, você deve estar se questionando: tá bom, tá bom... Já percebi que a matemática está presente em várias situações concretas do dia a dia das pessoas. Mas, para além dos egípcios e dos gregos, será que não temos algum outro cientista um pouco mais recente e moderno, cujas contribuições matemáticas foram importantes para a humanidade? E a resposta para essa pergunta também é sim! Provavelmente você nunca ouviu falar do homem que apresentarei, um dos maiores gênios do século 20, cujas contribuições não apenas permitiram a criação daquilo que hoje conhecemos pelo nome de computador, mas também salvaram milhões de vidas durante a Segunda Guerra Mundial. Mas como ele se chama e qual a sua história? Dedicarei, agora, algumas linhas deste livro para tratar do legado e da importância histórica desse grande matemático, chamado Alan Turing.

Fotografia de Alan Turing.
Disponível em: https://www.pstu.org.br/alan-turing-heroi-da-humanidade-pai-da-computacao-e-vitima-da-crueldade-lgbtfobica/. Acesso em: fev. 2022.

    Alan Turing, matemático inglês nascido em 1912, tem uma das biografias mais magníficas da história da ciência. Na juventude, ele foi um herói de guerra. Graças a ele, a Inglaterra conseguiu decifrar mensagens do exército alemão durante a Segunda Guerra e, para isso, Turing desenvolveu tecnologias que ainda nem existiam. Naquele tempo, os alemães usavam uma máquina especial, chamada Enigma. Era como uma máquina de escrever: o operador batia na tecla referente a uma letra, mas a máquina selecionava letras diferentes, seguindo um código estabelecido na Enigma. Os alemães usavam essa máquina para se comunicar uns com os outros, pois, caso alguém interceptasse alguma mensagem, não chegaria a essa pessoa mais que um texto sem sentido.

Utilizando a matemática e a lógica, Turing criou uma máquina capaz de decifrar as mensagens alemãs. Além de ter sido, de acordo com muitos historiadores, o primeiro computador da história da humanidade, calcula-se que a descoberta de Turing tenha feito a guerra terminar dois anos antes, salvando muitas vidas humanas. Estudos indicam que cerca de catorze milhões de vidas foram salvas. Impressionante, não é mesmo? Veja, caro leitor, como a matemática foi utilizada a serviço da humanidade, em um dos momentos mais tristes da história mundial, e que sem ela e sem a genialidade de Alan Turing, talvez as consequências da Segunda Guerra tivessem sido ainda mais dramáticas.

Como pudemos refletir, desde os gregos e egípcios até os dias mais recentes, como é o caso da criação do computador, a matemática sempre se deu como uma criação da mente humana para auxiliar na vida cotidiana, seja na agricultura ou nas relações comerciais, seja na resolução de um enigma que salvou milhões de vidas durante a Segunda Guerra Mundial. Sendo assim, por que apresentamos aos nossos alunos, ou aos nossos filhos, a matemática como sendo uma ciência abstrata, difícil e sem finalidade concreta? Quando olhamos para o ensino formal da matemática dentro das escolas vemos que, na maioria das vezes, o ensino se dá de um modo quase místico, lidando com coisas que são absolutamente abstratas. Precisamos reformular esse tipo de processo. Há uma necessidade evidente de as pessoas aprenderem aquilo que tem conexão com a vida delas. Pare e pense: quando uma pessoa aprende a fazer soma ou subtração, dentro de uma feira, de um supermercado, de um boteco ou em qualquer lugar do Brasil? Quando ela precisa! Se for necessário, ela aprende a fazer conta de cabeça! Se uma pessoa que sequer passou pelo ensino formal da escola precisar fazer uma conta num pedacinho de papel, ela vai aprender a fazer na raça pois, do contrário, não conseguirá conviver com questões simples do dia a dia. Por isso, atenção: a matemática é a mais humana das ciências. Ela é pura poesia, pura criação da mente humana. Tenho a certeza de que você nunca conversou com uma matriz, tampouco viu uma equação do segundo grau jogando bola na rua! A matemática deveria ser ensinada como poesia e não como martírio; ensinando desse último modo, como muitas vezes o fazemos, temos a mistura perfeita para causar o desânimo e o desinteresse por parte dos nossos alunos e filhos.

Portanto, encerro este capítulo fazendo-lhe um convite sincero: mostre aos seus alunos e aos seus filhos a beleza da matemática, as suas contribuições para a humanidade, e a apresente com alegria e entusiasmo, trazendo à tona suas características humanas e concretas, escondidas por debaixo dos números e das operações.

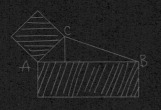

Capítulo 2

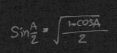

$\left(\dfrac{a}{B}\right)^n = \dfrac{a^n}{B^n}$

$x^2 + (y^2 - \sqrt[3]{x^2})^2 = 1$

$\csc(-x) = -\csc(x)$

$\lim\limits_{h \to 0} \dfrac{f(x_0 + h) - f(x_0)}{h}$

A tradição do "bicho de sete cabeças"

Paralelogramo = bh

$x_{n+1} = (x_n/2)(3 - a x_n^2)$

$\pi = 3,141592...$

$ax = -\dfrac{ax}{2x}$

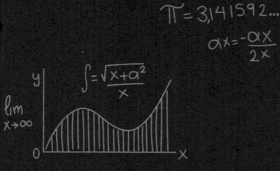
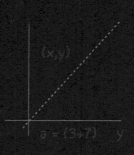

aros pais, este capítulo é especialmente dedicado a vocês: quantas vezes fomos pegos transmitindo para nossas crianças e adolescentes, ao longo de gerações, a ideia de que a matemática é muito difícil, quase um "bicho de sete cabeças"? Apesar de essa fala parecer inocente, ela pode trazer grandes prejuízos à confiança e à motivação de seu filho para aprender matemática verdadeiramente. Quando um pai, uma mãe ou algum familiar, modelo e inspiração para aquela criança ou aquele adolescente, transmite a ideia de que a matemática é complicada, difícil, cheia de obstáculos e desinteressante, é muito natural que tal imagem permeie a mente daquela criança ou daquele adolescente.

Mas como fazer, então, para influenciar positivamente seu filho a gostar de matemática (mesmo que você, leitor, não caia de paixões por ela)? Em primeiro lugar, quando estiver trabalhando com seu filho em matemática, ajudando-o na tarefa de casa ou apenas conversando e papeando sobre a matemática da escola, procure demonstrar o maior entusiasmo possível. Eu entendo que isso é difícil, principalmente no caso em que você tenha vivido experiências negativas e ruins com a disciplina. Porém, caro leitor, é fundamental que você mostre entusiasmo e alegria ao conversar sobre matemática com seu filho. Os pais nunca devem dizer "Eu era péssimo, uma negação em matemática". Estudos recentes mostram que, quando os pais agem desse modo, os filhos tendem a perder desempenho em matemática na escola. Em segundo lugar, sempre pergunte para o seu filho o que eles estão aprendendo na escola e, em seguida, peça para que ele te explique, do jeito dele e com as palavras dele. Essa troca, esse diálogo alegre e suave sobre matemática entre você e seu filho sem dúvidas fará com que a imagem de "bicho de sete cabeças" fique no passado. Inclusive, o ato de falar e de revisitar, com as próprias palavras, aquilo que foi aprendido naquele dia, ou naquela semana, e de explicar para outra pessoa é, sem dúvidas, um dos melhores meios de aprendizagem que podemos praticar. Muito melhor se essa outra pessoa for o pai, a mãe ou algum familiar querido. Em terceiro lugar, aproveite a oportunidade de permitir-se gostar de matemática. Aproveite a oportunidade que seu filho te dará para viverem um novo recomeço em relação à matemática. Conheço muitas pessoas, pais e mães, que tiveram experiências ruins e até traumatizantes com a matemática na escola, mas quando começaram a aprendê-la de novo, muitas vezes pela necessidade de ajudar os próprios filhos, acharam a matéria agradável e acessível.

Enxergue no nascimento do seu filho um renascimento para a matemática. Por que não? Fica a dica!

Por fim, caro leitor, gostaria de compartilhar uma prática que procuro desenvolver com meus alunos, a cada ano, no primeiro dia letivo. E que os ajuda a dar um primeiro passo para não enxergar a matemática como um "bicho de sete cabeças". Todos nós sabemos que o primeiro dia de aula é um dia repleto de dúvidas e de receios. Muitos alunos não sabem o que encontrarão pela frente, nem como serão seus novos professores e nem quem serão seus colegas de sala. Tradicionalmente, atribui-se ao professor de matemática a imagem de um professor carrancudo, sério e sem empatia. Gosto de iniciar o ano letivo quebrando essa visão distorcida, trazendo aos meus alunos um bate-papo sobre aquilo que eu gosto de chamar de *combinados gerais para um bom andamento do curso de matemática e para uma vida mais feliz*. São três pequenas palavras, mas que carregam grande significado: respeito, humildade e amizade. Mas o que essas três palavrinhas — bem dizer, três virtudes — possuem de tão especial?

Pois bem, o respeito é sempre necessário em qualquer relação social. Convido meus alunos a pensarem sobre a importância de tratar os outros colegas, os demais professores e todos os funcionários com muito respeito. Além, é claro, de eles também esperarem isso de mim. Jamais tratarei um aluno com falta de respeito, e isso eu deixo bem claro para eles no primeiro dia de aula. Além do respeito, a humildade: saber que a sala de aula é o ambiente propício para o aprendizado e que ninguém, nem mesmo o professor, saberá de todas as coisas o tempo todo e de todos os jeitos. Estamos todos no mesmo barco, navegando pelo caminho do conhecimento. Também faz parte da humildade colocar seus dons e talentos a serviço dos outros: ajudar o colega sempre que necessário e criar um ambiente saudável de aprendizagem. Por fim, a palavra amizade. Quando trago esse combinado para a turma, muitos se questionam: "Mas, professor, o senhor será nosso amigo? Sempre imaginei que deveria haver um distanciamento entre o aluno e o professor. Então, como assim, amizade?". Nessa hora apresento a seguinte reflexão aos meus alunos: quais são as principais características de um amigo? E todos concordam: confiança, abertura, alguém que gostamos de ter por perto... Muito bem, mas não podemos esquecer que a verdadeira amizade é sempre uma amizade exigente, aquilo que eu costumo chamar de amor exigente: amigo que é amigo corrige quando necessário. Amigo que é amigo sinaliza que algo não está indo bem e que aquilo não é o correto a ser feito. Nesse sentido, concluo com meus alunos dizendo que sim, eu serei como um amigo: não desistirei de nenhum dos meus alunos e eles podem confiar em mim. Entretanto, quando necessário, "puxarei a orelha", buscando sempre o melhor de cada um deles.

Depois dessa conversa sobre o real significado da palavra amizade, encerro a reflexão dizendo aos meus alunos que os chamarei de "familiares". Você deve recordar que, na época do colégio, cada professor se dirigia aos seus alunos de um determinado jeito: alguns diziam "galera", outros "pessoal", outros ainda "senhores" ou então pela série em que os alunos estavam "sexto ano", "sétimo ano", e assim por diante. Porém, em minha prática docente, sempre me dirigi aos meus alunos como "familiares". Afinal de contas, se pararmos para pensar bem, o tempo que passamos convivendo na escola é semelhante ao tempo que passamos em casa, com nossa família. E assim como buscamos um ambiente saudável em nosso lar, em que reinem o respeito, a humildade e a amizade, assim também buscaremos viver e conviver no colégio. Por isso o termo "familiares". Começo sempre minha aula escrevendo na lousa e dizendo em voz alta: "Bom dia, familiares!". Apesar de ser apenas uma expressão, uma maneira de se comunicar com meus alunos, a palavra gera neles um sentimento de acolhimento e de alegria por estarem ali, tendo aquela aula. Uma simples palavra. Um simples gesto. Mas que faz toda a diferença! Por fim, finalizo minha primeira aula do ano, meu primeiro encontro com a turma, entregando a cada aluno um trecho de um dos textos mais lindos que conheço, de autoria de Rubem Alves, chamado "A Escutatória", e que compartilho a seguir.

Precisamos de pessoas que saibam escutar verdadeiramente, pessoas que exercitem uma escuta realmente ativa. É disso que nossos alunos precisam! É disso que o mundo precisa! Antes de quebrarmos a tradição do "bicho de sete cabeças" que existe na matemática, precisamos quebrar a tradição do egoísmo, da falta de escuta e da falta de abertura! Depois, tudo seguirá de maneira mais leve e serena, inclusive a relação dos nossos alunos e filhos com a matemática. Cabe a nós e depende de nós!

É na escuta que o amor começa. E é na não escuta que ele termina

"O que as pessoas mais desejam é alguém que as escute de maneira calma e tranquila. Em silêncio. Sem dar conselhos. Sem que digam: 'Se eu fosse você...' A gente ama não é a pessoa que fala bonito. É a pessoa que escuta bonito. A fala só é bonita quando ela nasce de uma longa e silenciosa escuta. É na escuta que o amor começa. E é na não escuta que ele termina. Não aprendi isso nos livros. Aprendi prestando atenção..."

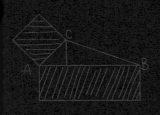

Capítulo 3

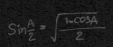

$\left(\dfrac{a}{B}\right)^n = \dfrac{a^n}{B^n}$

$x^2 + (y^2 - \sqrt[3]{x^2})^2 = 1$

Mudando paradigmas

Paralelograma = bh

$X_{n+1} = (X_n/2)(3 - a x_n^2)$

$\pi = 3,41592...$

$ax = -\dfrac{ax}{2x}$

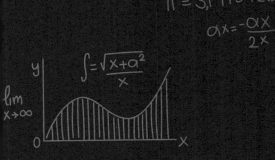

Para além de tudo o que foi falado no capítulo anterior, gostaria de trazer outras reflexões que podem ser úteis para ajudarmos nossos filhos e alunos na boa relação com a matemática: já ouviram falar de mentalidade fixa e de mentalidade de crescimento? São dois conceitos que, quando bem compreendidos, podem ser utilizados tanto por pais como por professores, a fim de ajudar a criança e o adolescente a desenvolverem seus talentos e suas potencialidades. A mentalidade fixa supõe que as competências básicas de uma pessoa, como habilidades, inteligência e talentos, são traços fixos, imutáveis, ou seja, que nascemos com tudo isso de maneira predeterminada e que, independentemente do esforço pessoal, nada poderá mudar essa realidade. Já a mentalidade de crescimento significa que, por meio de esforço, disciplina e trabalho árduo, a pessoa poderia aumentar sua capacidade intelectiva e seus talentos, além de desenvolver novos talentos, novas habilidades e novas competências. Mas quem desenvolveu a teoria da mentalidade de crescimento? E como podemos estimular nossos filhos e alunos, e quem sabe até nos mesmos, a mudarmos nossas crenças e começarmos a vivenciar tal mentalidade? É exatamente sobre isso que gostaria de dedicar algumas palavras.

A criadora do conceito de mentalidade de crescimento é Carol Dweck, professora de Stanford. Ela é considerada uma das maiores especialistas do mundo nos campos da personalidade, psicologia coletiva e psicologia do desenvolvimento humano. Para Dweck, a mentalidade de crescimento nos permitiria ter uma vida menos estressante e mais bem-sucedida. Nosso cérebro pode crescer e se adaptar e, à medida que nos esforçamos, nos dedicamos e trabalhamos arduamente, podemos desenvolver nosso intelecto e nossos talentos, além de descobrir e potencializar novas habilidades e competências, que sequer acreditávamos que possuíamos. A mentalidade de crescimento é uma mudança na maneira de pensarmos o que é a inteligência. Se acreditarmos que a inteligência e os talentos são inerentes ao nascimento da pessoa, mera casualidade genética e biológica, de que valeriam o esforço e a determinação? De que valeriam as horas de estudo e dedicação? Por outro lado, se acreditarmos que por meio da aprendizagem poderemos aprimorar nossa inteligência e nossos talentos, aí tudo muda... Segundo Carol Dweck, as pessoas que se enquadram na mentalidade de crescimento possuem mais chances de alcançar seus objetivos, exatamente por saberem e acreditarem que, com trabalho árduo, tudo é possível.

Quando nosso aluno ou filho não acredita possuir mentalidade de crescimento, ou não acredita ser capaz de aprender verdadeiramente matemática, o que podemos fazer para ajudá-lo? Em primeiro lugar, apresentar para ele o fato de que nosso cérebro está em constante desenvolvimento e aperfeiçoamento, e que a partir de dedicação, disciplina e trabalho árduo poderemos modelá-lo e alcançar resultados incríveis. É claro que os estudantes que possuem mentalidade de crescimento não necessariamente acreditam que todos os seres humanos são iguais, ou que todos se tornarão gênios da matemática. Não é isso! Eles apenas acreditam que, por um esforço pessoal, poderão alcançar resultados cada vez melhores. Como disse a própria Carol Dweck em seu célebre livro *Mindset – A nova psicologia do sucesso*: "Em uma mentalidade fixa, estudantes acreditam que suas habilidades básicas, sua inteligência, seus talentos, são apenas traços fixos. Eles têm uma certa quantidade e seu objetivo torna-se parecer inteligente o tempo todo e nunca parecer burro. Em uma mentalidade de crescimento, eles entendem que seus talentos e habilidades podem ser desenvolvidos pelo esforço, um bom ensino e persistência. Eles não necessariamente acham que todo mundo é o mesmo ou que qualquer um pode ser Einstein, mas eles acreditam que todos podem ficar mais espertos se trabalharem para isso".

Mas como podemos, com pequenas mudanças, ajudar nosso filho e nosso aluno a sair de uma mentalidade fixa para uma mentalidade de crescimento em relação à matemática? Para ajudar a responder a essa pergunta, gostaria de lhe propor algumas atitudes práticas que o auxiliarão nessa empreitada.

Primeira atitude: o poder do "ainda não"

Quantas vezes ouvimos dos nossos filhos e alunos frases como "Não sou bom com números", "Não sou bom com a matemática" ou "Sempre tive dificuldade com os estudos"? Ao manifestarem frases como essas, provavelmente estão acreditando que nunca serão capazes de aprender matemática, ou que a matemática é impossível para eles! Entretanto, se os ajudarmos a entender que a dificuldade de um determinado momento não significa que será sempre assim, poderemos auxiliá-los a desenvolver uma mentalidade de crescimento por meio da simples expressão "ainda não": "Ainda não sou bom com números", "Ainda não sou bom com a matemática" e "Ainda tenho dificuldade com os estudos". Quando comparamos as duas maneiras de expressão, uma com e outra sem o uso do "ainda não", vemos a diferença fantástica entre elas: estamos dizendo ao nosso filho e ao nosso aluno que o aprendizado é constante e que com dedicação, disciplina e perseverança ele vai alcançar os resultados desejados, ou até mais do que aquilo que se deseja. Uma pequena mudança! O poder do "ainda não" apresenta, para nosso filho e nosso aluno, uma curva de aprendizado que está sendo trilhada e que dará a eles um caminho para o futuro.

Gostaria de compartilhar uma linda experiência que pude viver ao longo dos meus quase cinco anos de prática docente na educação básica. Certa vez, após uma prova de matemática que apliquei para meus alunos, o resultado alcançado pela turma não foi dos melhores. A matéria da prova era função exponencial e a prova havia sido feita de maneira presencial. Era a primeira vez em dois anos que aquela turma fazia uma prova desse modo. Nada de celular ou calculadora. Por quase dois anos, devido à pandemia causada pela covid-19, os alunos foram afastados das práticas pedagógicas tradicionais da escola formal. Pois bem, tenho a certeza de que o fator emocional e a ansiedade pesaram negativamente na hora de eles resolverem a prova. Os alunos haviam estudado durante as aulas e haviam feito bastantes exercícios de treino para a prova. Porém, na hora do exame, muitos deles travaram e esqueceram tudo. O famoso "deu branco, professor!". O resultado, como eu disse anteriormente, não foi muito bom. Muitas notas baixas. Muitos alunos desanimados e tristes por não desempenharem à altura aquilo para que haviam estudado e se preparado. Quando corrigi as provas, na noite anterior à aula em que as notas seriam entregues, pensei por muito tempo de que maneira eu iria conversar com a turma... Como eu iria fazê-los não desanimar? Como poderia ajudá-los a encarar a nota baixa não como um martírio, mas sim como uma oportunidade de vivenciar valores como o da superação, da dedicação e da disciplina? Ao entregar as notas para os alunos, conversei com eles de que modo aquela nota não representava quem eles eram e que não poderiam se colocar como uma nota: "Ah, professor, eu sou um 2,0 ou um 3,0" ou então "Poxa, professor, como eu sou burro!". Apresentei para eles que o processo de aprendizagem é uma constante em nossa vida e que eles "ainda não" tinham alcançado aquilo que esperavam: "Ainda não, mas com carinho, dedicação e disciplina, vocês chegam lá! Eu acredito no potencial de cada um de vocês e estou com vocês. Vamos juntos nesta empreitada. Eu não desisto, e nunca desistirei de nenhum de vocês". E qual foi o resultado? Alunos mais motivados, mais entregues ao estudo, mais interessados... Veja como a fala do professor e o poder do "ainda não" são importantes aliados para que os alunos encarem a realidade escolar com mais leveza, mais entusiasmo e mais alegria.

Segunda atitude: não utilize elogios como "esperto" e "inteligente"

É muito comum, entre pais e professores, ouvirmos elogios como "Meu filho é muito inteligente" ou então "Aquele aluno é muito esperto". Contudo, elogios como esses fazem com que a criança e o adolescente acreditem que já estão prontos, que não precisam melhorar, e isso acaba gerando neles uma ideia de mentalidade fixa. O elogio deve ser muito cuidadoso, pois quando o fazemos, ainda que isso faça com que se sintam bem naquela hora, em algum momento posterior, quando não conseguirem resolver algum problema, pensarão: "Ops, não sou tão inteligente". Mas então como devemos elogiar nossos filhos e nossos alunos? Busque, sempre que possível, elogiar o processo, o que ele fez. Por exemplo, em vez de dizer "Nossa, você sabe somar números, como você é inteligente" ou então "Que legal, você realmente é muito esperto na matemática", procure dizer "Parabéns! Que ótimo que você aprendeu a somar números" e "Show! Continue se desenvolvendo na matemática". Mas por que tudo isso? O que acontece é que quando a criança e o adolescente sabem que o esforço, a determinação e o trabalho árduo são fundamentais no processo de aprendizagem, isso os ajudará a alcançarem níveis mais altos de conhecimento. Essa é uma mudança de paradigma, pois está enraizado em nossa cultura – inclusive nos meios de comunicação – que existem pessoas inteligentes e pessoas que não são inteligentes. Portanto, mudar a perspectiva de elogio, apesar de parecer simples, não será uma tarefa fácil, justamente porque muitos de nós crescemos acreditando que existem pessoas que são inteligentes e pessoas que não são; acreditando que a matemática é para poucos, para um ou outro que possui a capacidade de aprendê-la, além de ser chata e entediante. Devemos ir na contramão, trazendo para nossos filhos e nossos alunos o quanto a matemática é apaixonante e que é o esforço diário e o trabalho árduo que os levarão a níveis mais altos de desempenho.

Gostaria de concluir apresentando um estudo feito pela psicóloga Carol Dweck, já mencionada anteriormente. Ela selecionou alunos para resolverem problemas matemáticos. Todos os participantes resolveram corretamente os exercícios. Metade deles foi elogiada por ser "inteligente", e a outra metade por ter "se dedicado muito". Logo após, uma segunda etapa do estudo foi iniciada: para todos os participantes foi proposta a escolha de um dentre dois problemas matemáticos. Um dos problemas era mais difícil, o outro, mais fácil. Sabe o que aconteceu? Noventa por cento dos participantes elogiados por serem inteligentes escolheram o exercício fácil, já os que foram elogiados por terem se esforçado bastante optaram pelo exercício difícil. Veja como o elogio tem o poder imediato na vida dos nossos filhos e dos nossos alunos. Mais uma prova de que devemos ter muita cautela com o elogio que dirigimos a eles!

Terceira atitude: mude a maneira de enxergar o erro

Quantas vezes, desde nossa mais tenra infância, aprendemos que o erro é algo negativo e que devemos, ao máximo, evitá-lo? Quantas vezes, caro leitor, desejamos a perfeição de nós mesmos e, consequentemente, exigimos o mesmo de nossos filhos e de nossos alunos? Além de ser impossível conquistar esse ideal, quando transmitimos pensamentos como esses estamos criando neles um medo terrível de que, caso cometam algum erro durante um exercício de matemática, de nada terá sido válido o esforço, a determinação e o trabalho árduo. Entretanto, precisamos compreender que se trata justamente do contrário! Necessitamos urgentemente mudar a maneira de avaliar nossos filhos e nossos alunos! Devemos, cada vez mais, acompanhar todo o processo, em vez de julgar apenas o resultado final. Quando erramos e aprendemos com nosso erro, nosso cérebro é capaz de se adaptar e de conquistar patamares muito mais elevados do que aqueles decorrentes de acertos constantes. Em outras palavras, aprendemos muito mais com nossos erros do que com nossos acertos! Já ouviu falar de neuroplasticidade? De acordo com estudos recentes da neurologia e da psicologia, nosso cérebro tem a capacidade de aprender, reaprender e se reprogramar. Tal habilidade está presente nas células nervosas e permite que todo cérebro consiga se adaptar a determinadas situações. E o erro é um dos modos mais eficazes pelo qual as crianças e os adolescentes aprendem a reprogramar suas células nervosas. O medo do fracasso, resultado de ambientes engessados e culturais do "não errar", é um dos vilões no processo de aprendizagem, levando o aluno a uma falta de criatividade na resolução de problemas.

Gostaria de contar uma experiência que tive enquanto aluno de doutorado em matemática no Instituto de Matemática e Estatística da Universidade de São Paulo. Nos meus primeiros dois anos como aluno, me debrucei na resolução de um problema em aberto dentro da minha área de pesquisa. Foram dois anos de muita dedicação e disciplina, horas e mais horas de trabalho árduo a fim de alcançar uma resposta para aquela pergunta. Ao final de dois anos, não consegui resolver aquele problema, e por muito pouco não abandonei o doutorado. Afinal de contas, caro leitor, você há de convir comigo: já tinham se passado dois anos desde o início do meu doutorado, sendo que eu tinha, ao todo, quatro anos para concluí-lo. E mesmo com dois anos de muito esforço, não consegui resolver o problema. Qual era a motivação que me restava? Qual era o sentido daquilo que estava fazendo? Pois bem, nesse momento de crise que vivenciei, pude refletir sobre tudo o que eu havia conquistado até ali, todas as horas de estudo e todo o conhecimento adquirido ao longo de dois anos... Aprendi muito com as dificuldades que o problema original me apresentava! E entre todos os erros que cometi tentando resolvê-lo, outras ideias foram surgindo para que eu pudesse resolver outro problema em aberto. Com tudo o que eu havia adquirido de conhecimento e habilidade decorrentes dos primeiros dois anos de doutorado e, principalmente, dos erros e acertos, consegui resolver o segundo problema e, graças a isso, pude defender minha tese de doutorado! O que me fez prosseguir no meu sonho de me tornar doutor em matemática foi todo o processo vivenciado ao longo de dois anos, e não o produto final. Exatamente por experiências como essas, gostaria de reforçar a seguinte ideia: a liberdade para aprender, sem o julgamento decorrente do erro, se mostra peça-chave no processo educacional e, em especial, na resolução de problemas matemáticos.

Além da alegria de ter conquistado meu doutorado com 25 anos de idade, de bandeja recebi um grande presente que me deixou – e ainda me deixa – muito feliz. Para contextualizar brevemente, no universo da pesquisa acadêmica há o orientador, alguém do corpo docente da universidade que ajuda e acompanha o aluno a desenvolver uma pesquisa inédita e a criar e executar um plano de trabalho. O orientador, por sua vez, em sua época de estudante de doutorado, possuía também seu próprio orientador, que o ajudou a desenvolver a pesquisa e a se tornar um matemático profissional. E assim por diante, geração após geração! Perceba, caro leitor, que podemos desenhar uma árvore genealógica de todos os doutores em matemática ao longo do tempo. E qual foi a minha surpresa? Recentemente descobri, por meio de um banco de dados baseado em uma página da web que fornece a genealogia acadêmica baseada nas relações de orientação de doutorado na matemática, que meu dodecavô (décima segunda geração) acadêmico foi ninguém mais, ninguém menos que Leonhard Euler (1707-1783), considerado um dos maiores matemáticos da história do pensamento científico.

> **Um pouco de história...**
>
> Em 15 de abril de 1707, na cidade de Basileia, na Suíça, veio ao mundo Leonhard Paul Euler, um dos maiores cientistas e matemáticos de todos os tempos. Euler é um dos matemáticos com maior volume de produção acadêmica. Em seus mais de 850 trabalhos fez importantes contribuições para

a matemática, física, astronomia e engenharia. Aos 64 anos de idade, ficou completamente cego dos dois olhos, porém a perda de visão não abalou Euler, que possuía uma extraordinária memória e continuou suas pesquisas, ditando seus trabalhos para seus filhos e alunos. Curiosamente, ele produziu mais da metade de seus trabalhos estando completamente cego. Sobre sua cegueira, o própria Euler teria dito: "Isso é ainda melhor para minha pesquisa, pois menos coisas me distrairão". Ele faleceu aos 76 anos, em 18 de setembro de 1783, vítima de um acidente vascular cerebral (AVC). O filósofo e matemático francês Marquês de Condorcet escreveu: "Ele parou de calcular e de viver".

Imagem do selo suíço de 2007 feita em homenagem a Leonhard Euler, baseada em uma pintura de 1753 feita em Berlim pelo talentoso artista Emanuel Handmann, na qual é possível identificar a perda de visão no olho direito.
Disponível em: https://desmanipulador.blogspot.com/2013/11/biogrgrafialeonhard-eulerfisicomatemati.html. Acesso em: fev. 2022.

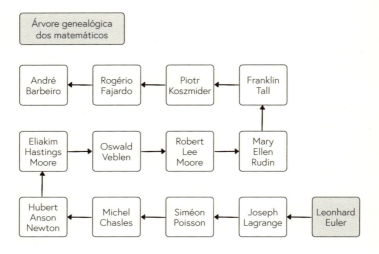

Por tudo que foi falado anteriormente, faço-lhe um pedido especial: ajude seus filhos e alunos a enxergarem o erro como uma oportunidade de crescimento, em vez de vê-lo como um vilão no processo de aprendizagem! Topa o desafio?

Quarta atitude: a importância dos problemas desafiadores

Por muitos anos me dediquei nas aulas preparatórias para olimpíadas de matemática. E, nessas aulas, sempre tive a impressão de que os exercícios eram muito difíceis para os alunos e que, na maioria das vezes, eles não seriam capazes de resolvê-

-los. Porém, com o passar do tempo, fui entendendo a beleza dos problemas desafiadores na vida do estudante. Quando propomos problemas realmente desafiadores, que instigam a curiosidade do estudante e o estimulam a ir mais longe, vemos que existe por parte deles um esforço e uma dedicação muito maiores do que os proporcionados por aquele tipo de problema sem graça, que são apenas uma repetição do que o professor fez na lousa como exemplo para se explicar a teoria. É claro que os problemas mais básicos são importantes para que o conteúdo fique consolidado na mente do estudante. Mas não podemos parar por aí! Precisamos, aos poucos, propor questões mais complexas e abrangentes, que motivem os alunos a pesquisarem, trabalharem em equipe e se esforçarem ao máximo para chegar na resposta do problema. Por exemplo, perguntas abertas como "No mínimo, quantas pessoas devem estar em uma sala para garantir que pelo menos duas delas façam aniversário no mesmo mês?" ou "É verdade que, em uma reunião com vinte pessoas, existem duas delas que possuem a mesma quantidade de amigos na reunião?" carregam uma curiosidade e uma ludicidade que cativam a maioria dos estudantes e os fazem se encantar pelo problema. Portanto, querido professor, busque, sempre que possível, propor problemas desafiadores para os alunos e, como conversamos antes, independentemente do erro ou do acerto, o processo de busca pela resposta, do trabalho em equipe e da dedicação terão consequências importantes para o aprendizado do estudante. E por fim, queridos pais, sempre incentivem seu filho a participar de olimpíadas científicas, pois elas com certeza trarão frutos muito positivos para o processo de aprendizagem da matemática.

Quinta atitude: pressa e matemática não combinam!

Quantas vezes, caro leitor, exigimos dos nossos filhos e dos nossos alunos velocidade na resolução de um determinado problema matemático? Infelizmente, muitas vezes motivados pelo vestibular, acabamos cobrando e exigindo deles pressa na hora de resolver um exercício ou para estudar uma determinada matéria. É claro que, em algum momento do aprendizado, precisaremos ajudá-los a resolver problemas de maneira mais veloz, coesa e objetiva. Entretanto, nosso primeiro esforço não deve ser esse. Nosso principal foco deve ser o de ajudá-los a perceber o quanto aprenderam em relação à matemática, durante a tentativa de resolução de um problema ou mesmo na hora de estudar alguma nova teoria. Na história da ciência, muitos são os exemplos de matemáticos que demoraram anos, ou até mesmo uma vida, para resolver um determinado problema! Talvez o maior exemplo disso seja o do francês Laurent Schwartz, um dos mais fantásticos matemáticos do século 19. Por suas grandes contribuições, foi laureado com o maior prêmio que um matemático poderia receber: a Medalha Fields. Ele escreveu uma autobiografia sobre sua época de escola, mostrando como o fizeram se sentir "burro" por ser um dos mais lentos em matemática de sua turma. Ele passou muitos anos sentindo-se inferior até chegar à conclusão de que "a rapidez não tem uma relação precisa com a inteligência. O importante é compreender profundamente as coisas e suas relações umas com as outras. É aí que está a inteligência. Ser rápido ou devagar realmente não é muito relevante". Infelizmente, as aulas de matemática baseadas na rapidez e nos testes levam muitos alunos lentos e reflexivos, como Schwartz, a crer que não podem se sair bem na matemática, além de criar uma ansiedade desnecessária em relação ao aprendizado. Por isso, busquemos não dar ênfase na rapidez ou na velocidade e nem propagar a ideia de que os alunos bons são os alunos rápidos. O que realmente importa é o desenvolvimento de um pensamento profundo, científico, analítico e argumentativo.

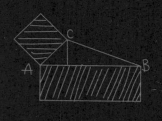
$a^2 = b^2 + c^2 - 2bc \cos \alpha$

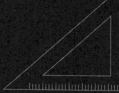

Capítulo 4

$S_3 = \begin{bmatrix} 1 & 0 & 1 \\ 1 & 0 & 1 \\ 1 & 0 & 1 \\ 1 & 0 & 1 \end{bmatrix}$

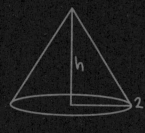

$(a+b)^2$
$\tan(2a) = \dfrac{2\tan(a)}{1-\tan^2(a)}$

$\sin \dfrac{A}{2} = \sqrt{\dfrac{1-\cos A}{2}}$

$\left(\dfrac{a}{B}\right)^n = \dfrac{a^n}{B^n}$

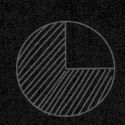

$x^2 + \left(y^2 - \sqrt[3]{x^2}\right)^2 = 1$

$csc(-x) = -csc(x)$

$h \xrightarrow{\lim} 0 \ \dfrac{f(x_0 + h) - f(x_0)}{h}$

A matemática em contexto

Paralelogramo = bh

$x_{n+1} = (x_n/2)(3 - ax_n^2)$

$\pi = 3{,}41592\ldots$

$ax = -\dfrac{ax}{2x}$

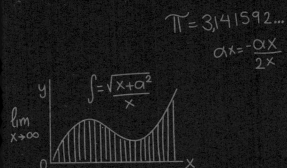

$\lim\limits_{x \to \infty}$

$f = \dfrac{\sqrt{x + a^2}}{x}$

Ao longo de todo o Capítulo 1 pudemos entender o modo pelo qual a matemática foi se tornando ferramenta para a construção das antigas civilizações, além de ser base para o desenvolvimento de áreas como a arquitetura, a música e a computação. É claro que muitos outros exemplos de aplicações concretas e contextualizadas da matemática poderiam ser trabalhados. E é exatamente esse o objetivo principal deste capítulo: apresentar o modo pelo qual a matemática tem sido utilizada no desenvolvimento de áreas como a ciência, a tecnologia, a saúde, a astronomia etc. Que este capítulo sirva de inspiração, ainda maior, para a compreensão da matemática como uma auxiliadora no desenvolvimento humano e no avanço das sociedades.

E qual o primeiro exemplo contextualizado que gostaria de apresentar? Escolhi aquele que, para muitos, foi um grande vilão na escola: os logaritmos. Mas de que modo os logaritmos podem ser utilizados na vida real, concreta, do dia a dia? Quando os estudamos na escola, eles apresentam um caráter extremamente abstrato e uma simbologia bastante pesada. Mas e se eu te dissesse que os logaritmos possuem, sim, muitas aplicações, você acreditaria em mim? Para convencê-lo disso, gostaria de apresentar alguns dos usos mais importantes dos logaritmos em várias áreas do conhecimento humano. Na física, por exemplo, a escala logarítmica é utilizada em diversas aplicações, tal como a escala de decibéis. Já ouviu falar dela? É utilizada para medir a intensidade de sons e ajudar na compreensão de quais níveis sonoros são, ou não, prejudiciais aos nossos ouvidos. Você deve estar se perguntando: mas como é a fórmula que mede a intensidade sonora? E de que modo o logaritmo aparece? Pois bem, apresento a seguir a fórmula que permite medir a intensidade do som na escala decibel:

$$G = 10.\log \left(\frac{I}{10^{-12}} \right)$$

A Letra G representa o nível de intensidade medida em decibéis (dB) e a letra I representa a intensidade das ondas sonoras, medida em $\left(\frac{Watts}{m^2} \right)$. Utilizando essa fórmula, podemos calcular qual é o limiar de audição (aquilo que o ouvido humano consegue captar) e qual é o limiar de audição dolorosa (que causa a sensação de dor na maioria das pessoas).

Outra aplicação muito interessante dos logaritmos é na geologia e geografia. Nesses campos do conhecimento, os logaritmos aparecem na famosa escala Richter. Ela é utilizada para medir a amplitude (ou a "força") de algum abalo sísmico causado pela movimentação de placas tectônicas. Tal escala foi criada e desenvolvida pelos cientistas Charles Francis Richter (1900-1985) e Beno Gutenberg (1885-1960), enquanto estudavam terremotos no sul da Califórnia. A escala Richter, por definição, é uma **escala logarítmica**. Isso quer dizer, por exemplo, que um terremoto de intensidade cinco é dez vezes mais forte que um de escala quatro e, consequentemente, cem vezes mais forte que um de nível três. Veja a fórmula utilizada para se medir a magnitude dos abalos sísmicos segundo a escala Richter:

$$M = \frac{2}{3} . \log \left(\frac{E}{0,007} \right)$$

A letra M representa a magnitude do terremoto e a letra E representa a energia liberada no terremoto medida em quilowatt-hora (kWh). A partir do uso dessa fórmula, Richter e Gutenberg elaboraram a seguinte tabela, que permite prever as consequências de um terremoto a partir da medição de sua magnitude:

Magnitude Richter	Efeitos
Menor que 3,5	Geralmente não sentido, mas gravado.
Entre 3,5 e 5,4	Às vezes sentido, mas raramente causa danos.
Entre 5,5 e 6,0	No máximo causa pequenos danos em prédios bem construídos, mas pode danificar seriamente casas mal construídas em regiões próximas.
Entre 6,1 e 6,9	Pode ser destrutivo em áreas em torno de até 100 km do epicentro.
Entre 7,0 e 7,9	Grande terremoto. Pode causar sérios danos numa grande faixa.
8,0 ou mais	Enorme terremoto. Pode causar graves danos em muitas áreas mesmo que estejam a centenas de quilômetros.

Você sabia que na medicina os logaritmos também são utilizados? Isso mesmo, na determinação da dosagem de remédios a partir do peso da pessoa, de sua altura e de sua área superficial. Incrível, não é mesmo? Sabe quando você vai ao médico e ele te prescreve um medicamento com uma determinada dosagem? Pois bem, para a determinação da dosagem correta é necessária a utilização da seguinte fórmula logarítmica:

$$\log A = 0{,}425\log P + 0{,}725\log H + 1{,}84$$

A letra A representa a área da superfície externa de uma pessoa (medida em cm²), a letra P representa o "peso" da pessoa (medido em kg) e a letra H representa a altura da pessoa (medida em cm).

Ao ver a fórmula apresentada, você deve estar se questionando: "Poxa, mas quando o médico me prescreve a dosagem do medicamento, ele não fica fazendo um monte de contas!". Será que ele é um gênio que faz contas tão rápido que não é possível nem perceber? A verdade é que a experiência do médico e o uso da tecnologia (hoje em dia os cálculos são todos feitos pelo computador) fazem com que a dosagem seja calculada quase que imediatamente, de maneira instantânea.

Além da física, da geografia, da geologia e da medicina, outra interessante aplicação dos logaritmos se faz presente na química. Estou certo de que você já ouviu falar de pH. Mas você sabe o que é, e para que é usado? A sigla pH significa Potencial Hidrogeniônico e é utilizado para caracterizar as substâncias em ácidas, básicas ou neutras. Os valores de pH variam entre zero e catorze, sendo que quanto mais próximo de zero estiver, mais ácida será a substância, e quanto mais próximo de catorze estiver, mais básica será a substância. Substâncias com pH próximo de sete são chamadas de neutras (como a água pura, por exemplo). O pH é utilizado na confecção de diversos produtos industriais, alimentos, itens de higiene e se faz até mesmo presente em nosso corpo. Apresento a seguir algumas tabelas com o pH de soluções muito conhecidas:

Soluções ácidas

Solução	pH
Suco gástrico	2,0
Suco de limão	2,2
Vinagre	3,0
Café	5,0
Leite de vaca	6,4

Soluções básicas

Solução	pH
Sangue humano	7,35
Água do mar	7,4
Bicarbonato de sódio	8,4
Leite de magnésia	10,5
Alvejante	12,5

Mas como calculamos o pH de uma substância? Em 1909, o químico dinamarquês Soren Sörensen (1868-1939) propôs que a acidez das soluções, medida em termos das concentrações de íons H$^+$, tivesse seus valores transformados utilizando logaritmos para facilitar a compreensão. Pois é, mais uma vez o logaritmo se faz presente! A fórmula descoberta pelo químico dinamarquês é a seguinte:

$$pH = -\log [H^+]$$

Por fim, gostaria de apresentar uma das mais importantes aplicações do logaritmo em nossos dias atuais. Quem de nós nunca pensou em investir seu dinheiro? Ou projetou poupar certa quantia em determinado prazo de tempo? Organizou-se para realizar a viagem dos sonhos ou concretizar o sonho da casa própria? Eu acho que todos nós, não é mesmo? E se eu dissesse que, na matemática financeira, os logaritmos permitem o cálculo de juros e o cálculo do tempo necessário para se atingir uma determinada quantia em dinheiro? Considere, por exemplo, a seguinte situação-problema:

"Uma pessoa aplicou a importância de R$ 500,00 em uma instituição bancária, que paga juros mensais de 3,5%, no regime de juros compostos. Quanto tempo após a aplicação o montante será de R$ 3.500,00?"

Você há de convir comigo, caro leitor, que perguntas como esta são de suma importância quando o assunto é planejamento financeiro, orçamento familiar e organização do dinheiro. Poder prever quanto tempo é necessário para que determinada quantia esteja presente em seu investimento, apesar de parecer bruxaria ou misticismo, faz-se possível unicamente graças ao uso dos logaritmos. Não acredita? Pois então acompanhe a resolução da situação-problema.

Solução da situação-problema

A fórmula para o cálculo de juros compostos é $M_f = M_0 (1 + i)^t$, onde:

- M_f é o montante final de dinheiro;
- M_0 é o montante inicial de dinheiro;
- i é a taxa de juros;
- t é o tempo de aplicação do seu investimento.

De acordo com as informações trazidas pelo problema, podemos concluir que:

$$3.500 = 500.(1 + 3,5\%)^t$$
$$3.500 = 500.(1 + 0,035)^t$$

$$3.500 = 500.(1,035)^t$$

$$(1,035)^t = \frac{3500}{500}$$

$$(1,035)^t = 7$$

$$t.\log(1,035) = \log(7)$$

$$t.0,0149 = 0,8451$$

$$t = \frac{0,8451}{0,0149}$$

$$t \cong 57 \text{ meses}$$

Conclusão: o montante de R$ 3.500,00 será obtido após 57 meses aproximadamente.

Observe a quantidade de aplicações importantes dos logaritmos nas mais diversas áreas do conhecimento humano. Portanto, como podemos dizer que são abstratos e cheios de simbolismos? Precisamos, cada vez mais, motivar nossos alunos e nossos filhos mediante exemplos concretos e palpáveis, que tocam a realidade deles e, a partir da motivação e da sensibilização, fornecer a base teórica para se construir a ferramenta matemática. Infelizmente, nas escolas, costumamos fazer justamente o contrário: começamos pela teoria abstrata, e isso, na maioria dos casos, desanima o estudante e o afasta da vontade de querer aprender matemática.

Meu segundo exemplo de como a matemática se faz presente no dia a dia das pessoas é também uma das matérias mais temidas da escola: a trigonometria. Mas como assim, a trigonometria possui aplicações concretas e contextualizadas? Pensou que ela tratava apenas de relações matemáticas como o seno, cosseno e tangente, ou então do círculo trigonométrico ou, no melhor dos casos, dos triângulos retângulos? Não! A trigonometria, assim como os logaritmos, possui muitas aplicações que dizem respeito a nossa realidade. Veja quanta coisa interessante e quanto conhecimento humano foi desenvolvido com a ajuda da trigonometria:

1. *Na Antiguidade, os navegadores calculavam a que distância da terra eles se encontravam utilizando a trigonometria.*

2. *Na engenharia, o profissional precisa saber a largura de um rio para construir uma ponte e, para esse cálculo, ele utiliza recursos trigonométricos.*

3. *Um cartógrafo precisa saber a altura de uma montanha ou o comprimento de um rio. Sem a trigonometria ele demoraria anos para desenhar um mapa.*

4. *Na tecnologia do entretenimento, é utilizada para a*

programação de videogames: tudo o que é apresentado na tela requer trigonometria.

5. *Na medicina, é utilizada em vários exames médicos, como é o caso do eletrocardiograma. O teste registra graficamente a atividade elétrica do coração em função do tempo, e o desenho de tal gráfico segue um comportamento trigonométrico.*

Gostaria de dedicar uma atenção especial a uma das maiores e mais impressionantes aplicações da trigonometria em toda a história da humanidade. Ela se deve ao matemático, astrônomo, poeta e bibliotecário Eratóstenes de Cirene (276 a.C.-194 a.C.). Em um de seus livros, chamado *Sobre a medição da Terra*, Eratóstenes utiliza a trigonometria para medir a circunferência da Terra. Ele calculou o raio do planeta com um erro bem pequeno 2.100 anos atrás. Mas como ele fez isso? Afinal, mesmo com a tecnologia de hoje, não é muito fácil encontrar uma maneira de medir o raio da Terra. Pois bem, Eratóstenes realizou esse grande feito graças ao uso da trigonometria.

A ideia de Eratóstenes

Para calcular o raio da Terra, Eratóstenes utilizou a seguinte relação trigonométrica:

$$\frac{S}{C} = \frac{7,2°}{360°}$$

Onde S é a distância entre as cidades de Alexandria e Siena e C é a circunferência da Terra. Porém, Eratóstenes sabia que a distância entre as duas cidades era de aproximadamente 785 km. Portanto, podemos concluir que:

$$\frac{785}{C} = \frac{7,2°}{360°}$$

$$7,2C = 282600$$
$$C = 39.250 \text{ km}$$

Atualmente, sabe-se que a circunferência da Terra possui 40.075 km de extensão, enquanto Eratóstenes encontrou um valor de 39.250 km, muito próximo. E isso foi calculado há mais de dois mil anos! Impressionante, não é mesmo?

Por fim, para encontrar o raio R da Terra, basta utilizarmos a fórmula do comprimento de uma circunferência:

$$C = 2\pi R$$
$$39250 = 2.3,14.R$$
$$39250 = 6,28.R$$
$$R = \frac{39250}{6,28} = 6.250 \text{ km}$$

Hoje, sabe-se que o raio da Terra é de 6.370 km, o que nos dá uma diferença de 120 km em relação à medida calculada por Eratóstenes. Genial, não é verdade?

A ideia de Eratóstenes

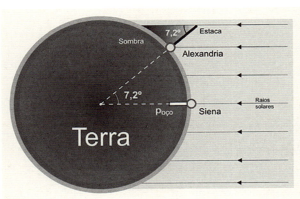

Desenho ilustrativo.
Disponível em: http://www.ime.unicamp.br/~apmat/a-primeira-medicao-do-raio-da-terra/. Acesso em: fev. 2022.

Por fim, caro leitor, gostaria de lhe trazer um último exemplo de que muitos ouvem falar, com bastante frequência, nos noticiários de televisão e nas reportagens dos jornais: a estatística. Gostaria de explicar um pouco melhor do que se trata a estatística e de quais modos ela é utilizada em situações concretas e contextualizadas do dia a dia.

A estatística é a parte da matemática que se dedica à coleta, análise, interpretação e apresentação de dados. Ela se utiliza de conceitos matemáticos para analisar dados e prever possíveis cenários populacionais. Por exemplo, quando estamos perto de eleições governamentais, aparecem em todos os lugares as famosas "pesquisas de intenção de voto", não é verdade? Mas como é possível que, ao entrevistarem duas mil pessoas – apenas duas mil –, as pesquisas sejam capazes de trazer informações fidedignas sobre uma cidade, ou até mesmo um país inteiro? E é exatamente aqui que entra a beleza da matemática e a sutileza da estatística: os cálculos mostram que, para termos uma visão precisa do cenário global, basta escolhermos criteriosamente uma amostra que efetivamente represente toda a população. No caso de uma pesquisa estatística de intenções de votos para presidente, precisamos, por exemplo, ter representantes de todas as classes sociais, idades, gêneros e regiões do país.

Além do exemplo de pesquisas estatísticas envolvendo intenção de votos, gostaria de compartilhar uma pequena lista do uso concreto e contextualizado da estatística na nossa vida:

1. No setor financeiro, a estatística é utilizada nas análises de risco, investimentos e transações.

2. As seguradoras de automóveis utilizam a estatística para calcular as chances de você ser roubado, ou mesmo de bater o carro, a depender da região em que você mora, trabalha ou estuda, da sua idade e do seu estado civil. Todas essas informações são utilizadas pela seguradora para calcular o valor do seu seguro.

3. Nas empresas e nos comércios, especialmente nos setores de marketing e inteligência de mercado, a estatística é utilizada para fazer projeções e indicar tendências mercadológicas. Essas informações estatísticas são utilizadas para que as empresas e o comércio melhorem seus resultados e alcancem os maiores lucros possíveis. Hoje, inclusive, existem muitas empresas especializadas prestando esse tipo de serviço estatístico.

4. A estatística é utilizada nas ciências biológicas e na área da saúde a fim de determinar ações sobre o fim de uma endemia ou os problemas causados pela disseminação de alguma doença, como a covid-19 ou a dengue, entre outras. Além disso, a estatística também é muito utilizada para prever a eficácia de um determinado tipo de vacina ou medicamento.

5. Nas indústrias, a estatística é utilizada no controle de qualidade de produtos. Afinal de contas, como melhorar o processo se não forem identificados os erros? O estatístico pode sugerir análises de processos, coletar informações e detectar problemas ou oportunidades de melhoria.

Antes de encerrar este capítulo, gostaria de contar uma curiosa – e interessantíssima – aplicação da estatística na vida real das pessoas. Eu nasci na Zona Norte de São Paulo e vivi ali boa parte da minha vida. Próximo ao bairro onde cresci, há uma avenida bastante conhecida e muito frequentada, cujo nome é Engenheiro Caetano Álvares. E ali, entre barzinhos e restaurantes, existe uma famosa padaria chamada Panetteria ZN. Você deve estar começando a se questionar: "Poxa, agora ele vai começar a falar de pães e frios. Não é possível! Eu comprei este livro para refletir sobre matemática! E não para ficar com vontade de comer". Pois é, caro leitor. E se eu dissesse a você que nessa conhecida padaria da Zona Norte de São Paulo aconteceu um evento que estava intimamente ligado à estatística? Pois bem, no mês de outubro de 2021, a padaria criou uma promoção envolvendo uma famosa coxinha de um quilo – isso mesmo! – que eles são famosos por fazer e que, diga-se de passagem, é realmente deliciosa. De acordo com a promoção, quem conseguisse comer a coxinha de um quilo em até dez minutos não pagaria a conta. É claro que a promoção tinha o intuito de divulgar o estabelecimento. Porém, para além do marketing, existia uma conta que era feita pelos responsáveis da padaria, pelo menos de forma intuitiva: se chamarmos de p a probabilidade de algum cliente conseguir cumprir o desafio, então consequentemente $1 - p$ seria a probabilidade de algum cliente não cumprir o desafio. Por exemplo, se a chance de alguém cumprir o desafio é de 20%, então a chance de não o cumprir será de 80%. Ou ainda, se a probabilidade de alguém não cumprir o desafio for de 90%, então a probabilidade de cumpri-lo será de 10%. A soma das probabilidades (ou das chances) deve ser sempre igual a 100%. É claro que a probabilidade de não cumprir o desafio é bem maior do que a probabilidade de cumprir o desafio. Afinal de contas, quantas pessoas você conhece que seriam capazes de comer um quilo de coxinha em menos de dez minutos?

Caso o cliente conseguisse comer a coxinha em menos de dez minutos, o estabelecimento teria um prejuízo de 33 reais (preço da coxinha de um quilo na época em que a promoção havia sido feita). Porém, se chamarmos de $Lucro_{marketing}$ o aumento médio de lucro gerado pela divulgação e pelo marketing do estabelecimento, poderemos calcular o lucro médio da padaria após a promoção, representado por $Lucro_{médio}$, mediante a seguinte fórmula:

$$Lucro_{médio} = Lucro_{atual} - 33 . p + Lucro_{marketing} . (1 - p)$$

Observe que na fórmula acima vemos a presença de uma das mais importantes vertentes da estatística, que é a noção do cálculo de probabilidades. Além disso, a fórmula nos apresenta um jeito de calcular e ponderar a expectativa de retorno para o estabelecimento a partir de determinada ação visando o aumento de lucro.

Espero que este capítulo tenha sido útil para a compreensão de que a matemática é uma forte aliada no desenvolvimento humano e no avanço de uma sociedade. Motivemos nossos filhos e nossos alunos a enxergarem a grande utilidade que a matemática nos apresenta em várias situações da nossa vida. Quem sabe desse modo não tornamos a matemática mais real e concreta aos olhos deles? Pare, pense e reflita!

Capítulo 5

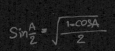

A proposta do Novo Ensino Médio e o protagonismo do adolescente

Por que seu filho não aprende matemática?

Caro leitor, já ouviu falar da Base Nacional Comum Curricular (BNCC)? É um documento de caráter normativo que define o conjunto de aprendizagens essenciais que o aluno deve ter ao longo de toda sua trajetória na educação básica. A BNCC e a proposta do Novo Ensino Médio propõem mudanças significativas nos paradigmas que se apresentam em relação ao papel da escola na vida de cada estudante. A escola, além de permitir ao estudante o contato com um conhecimento cultural construído pela humanidade ao longo dos séculos, deve também fornecer ao adolescente subsídios para que ele possa alcançar sua plenitude vocacional, de modo que ele próprio assuma uma atitude protagonista em relação ao seu projeto pessoal de vida.

E mais, que garanta aos estudantes ser **protagonistas** de seu próprio processo de escolarização, reconhecendo-os como interlocutores legítimos sobre currículo, ensino e aprendizagem. Significa, nesse sentido, assegurar-lhes uma formação que, em sintonia com seus percursos e histórias, permita-lhes definir seu **projeto de vida**, tanto no que diz respeito ao estudo e ao trabalho como também no que concerne às escolhas de estilos de vida saudáveis, sustentáveis e éticos. (BNCC, 2018)

A busca pela formação integral do indivíduo, contemplando as dimensões humana, intelectual, social e emocional, faz-se cada vez mais necessária. Portanto, ajudar o adolescente a refletir sobre sua própria vida e sobre seu papel no mundo é uma realidade que deverá estar cada vez mais presente no ambiente escolar. Nesse sentido, a formação do adolescente em valores fundamentais, como empatia, respeito, trabalho em equipe, superação, perseverança e disciplina, tão necessários para a formação humana, social e emocional do adolescente, coloca-se como possibilidade para que ele possa se desenvolver em sua maturidade pessoal e coletiva, de modo a formar as convicções que, posteriormente, ajudarão nas decisões sobre si mesmo e sobre seu papel na sociedade de modo mais consciente.

A nova BNCC propõe aos professores uma educação que deve estar centrada na pessoa e no seu pleno desenvolvimento, e não apenas pautada na transmissão de conteúdos técnico-científicos. Desse modo, a visão humanista da educação, tendo como referência fundamental Eric Rogers, se apresenta como uma possibilidade para que ocorra efetivamente a mudança no paradigma e na intencionalidade do professor em sala de aula. Na visão de Rogers, todos os seres humanos possuem uma tendência natural para o crescimento em direções saudáveis. Portanto, é papel do professor oferecer as melhores condições ao desenvolvimento do estudante e, durante esse processo, três elementos se fazem essenciais: aceitação positiva, empatia e coerência de vida.

Também na perspectiva humanista, Alfonso López Quintás, filósofo espanhol, publicou uma série de livros e artigos refletindo sobre a prática do viver, do pensar, do conviver e, sobretudo, do aprender e do ensinar. Quintás problematizou a necessidade do *âmbito do encontro* como uma estratégia para se criar relações verdadeiras e transformadoras entre pessoas, inclusive entre aluno e professor e entre professor e gestor, permitindo, assim, o pleno desenvolvimento de toda a comunidade escolar.

> A autêntica cultura, em que consiste? Escrever crítica de arte? Fazer poesia? Sim, mas, acima de tudo, consiste em cultivar as relações pessoais. Quando começa a autêntica vida? Quando há uma palavra dita com amor e não com ódio: uma palavra dita com ódio destrói a cultura. E

> não se dá a devida importância a isto. Um professor, por exemplo (façamos um pouco de autocrítica) que dá aulas brilhantes, que possui muitos conhecimentos, mas não cria um ambiente de diálogo na escola, um ambiente de encontro, estará realmente fomentando a cultura ou somente fomenta a informação? (López Quintás, 1999)

Alinhada à visão humanista da educação centrada na pessoa, a análise existencialista de Viktor Frankl, que busca compreender o ser humano em todas as suas dimensões bem como atribuir-lhe sentido na sua própria vida e em seu projeto de vida, mostra-se promissora na ressignificação da educação proposta pela nova BNCC e pelo Novo Ensino Médio. A análise existencial da educação possibilita ao homem ter uma visão de si mesmo e da vida, desenvolvendo sua própria consciência e responsabilidade diante do protagonismo em relação ao seu projeto pessoal de vida. Nesse aspecto, o professor se torna mediador fundamental no processo de autodescobrimento do estudante, pois, para que ele alcance um crescimento harmônico, é necessário integrar a vida emocional e intelectual a outras dimensões, como a formação profissional, a consciência ética e a arte da convivência, convidando, assim, o estudante a refletir sobre o sentido de sua própria existência, bem como de seu próprio projeto de vida.

Mas como propiciar a formação nos valores?

Em primeiro lugar devemos entender que, como professores, gestores ou funcionários de uma instituição, somos as referências máximas para os alunos dentro do ambiente escolar e que, portanto, a partir do nosso exemplo da vivência nos valores, os adolescentes poderão se influenciar positivamente por nossas palavras e ações. Como disse Albert Schweitzer, médico, professor e filósofo alemão, ganhador do prêmio Nobel da Paz de 1952: "O exemplo não é apenas a melhor maneira de ensinar, é a única".

Para além do exemplo individual de cada professor, gestor ou funcionário, algumas atividades pedagógicas centradas no aluno, tais como metodologias ativas, trabalhos em grupo, cine-debates e fóruns de discussão, podem propiciar circunstâncias ideais para a formação nos valores como trabalho em equipe, respeito e empatia: saber se colocar sem ofender e saber acolher a opinião do outro. Também a organização de eventos esportivos, artísticos e culturais dentro da instituição se apresenta como um caminho possível e saudável para a formação em valores como trabalho em equipe, superação, perseverança e disciplina.

Por fim, fomentar o trabalho voluntário no ambiente escolar, de modo a se refletir sobre a importância da solidariedade, do serviço gratuito e da pureza de intenção é, sem dúvida, um instrumento poderoso e eficaz na formação dos valores de qualquer pessoa e, em especial, dos adolescentes que irão vivenciar a alegria da entrega e do serviço ao próximo e se colocarão como agentes transformadores da sociedade.

O trabalho voluntário realizado dentro de uma escola apresenta frutos tão incríveis que gostaria de dedicar algumas poucas linhas para contar uma história pessoal que pude vivenciar. Por oito anos me dediquei ao voluntariado em uma ONG de São Paulo, cujo propósito principal é o de reunir pessoas dispostas a fazer e a praticar o bem, criar elos de responsabilidade social e ajudar a infância mais necessitada. Sua missão é a de formar jovens líderes e comprometê-los na vivência e transmissão de valores universais, levando a uma verdadeira transformação de si mesmos e da sociedade. Juntos, voluntários, crianças e adolescentes criam uma relação de profunda amizade e transformação pessoal e coletiva. Pois bem, você deve estar se perguntando: "Muito bonito, muito bonito... porém conte-me mais". Como o trabalho voluntário influenciava positivamente os estudantes? Por um ano e meio fui coordenador desse projeto voluntário dentro de um grande colégio de São Paulo. Os voluntários tinham todos quinze ou dezesseis anos de idade. Em cada evento realizado, pude perceber a transformação gerada nesses adolescentes: o desenvolvimento da empatia, a percepção do "outro" como alguém especial e a capacidade de se colocar a serviço daqueles que mais precisavam. Inclusive, para além do desenvolvimento humano dos voluntários, muitas das atividades realizadas nos eventos tinham um caráter pedagógico. Lembro-me com muita alegria de um dia em que nós, coordenadores, junto dos voluntários adolescentes, organizamos o "Dia do Ensino", cujo propósito era, mediante pequenas estações, ajudar os assistidos com reforços nas disciplinas de Matemática e de Português. Foi impressionante o modo pelo qual os jovens voluntários se dedicaram com muito carinho e afinco para preparar as melhores atividades matemáticas para as crianças assistidas: jogos, brincadeiras, desafios, charadas, dentre outras dinâmicas. Pude presenciar alunos que costumavam dizer que a matemática era "chata" e "entediante", ou mesmo que tinham grandes dificuldades com a aprendizagem, realizarem grandes feitos naquele dia. Inclusive, após o evento, alguns voluntários disseram para mim que gostaram tanto de preparar as atividades e de ensiná-las às crianças assistidas que, depois daquele dia, acendeu dentro deles a vontade de seguirem a carreira de professor. Quando apresentamos a matemática como algo mais humano, que ajudará outras pessoas — e até nós mesmos — em nosso desenvolvimento, superamos a barreira psicológica da matemática como algo chato, difícil e entediante. É claro que os frutos do trabalho voluntário vão muito além da matemática. São frutos que tocam a realidade do ser humano como um todo. Como eu sempre disse e continuo insistindo com meus alunos: a matemática não transforma o mundo. Nenhuma matéria, nenhuma ciência ou conhecimento transformam o mundo. Quem transforma o mundo são as pessoas boas, de bom coração e que buscam praticar o bem. Concorda, caro leitor? Fica o convite para a reflexão!

Com a Reforma do Novo Ensino Médio, o que muda no ensino da matemática?

Com a proposta de reforma para o Ensino Médio, a matemática deve ser entendida como um instrumento pelo qual seu filho e seu aluno poderão atingir algumas competências que, de acordo com a BNCC, são fundamentais para seu pleno desenvolvimento matemático, tais como:

1. Reconhecer que a matemática é uma ciência humana, fruto das necessidades e preocupações de diferentes culturas, em diferentes momentos históricos, e é uma ciência viva, que contribui para solucionar problemas científicos e tecnológicos e para alicerçar descobertas e construções, inclusive com impactos no mundo do trabalho.

2. Propor ou participar de ações para investigar desafios do mundo contemporâneo e tomar decisões éticas e socialmente responsáveis, com base na análise de problemas sociais,

como os voltados a situações de saúde, sustentabilidade, das implicações da tecnologia no mundo do trabalho, entre outros, mobilizando e articulando conceitos, procedimentos e linguagens próprios da matemática.

3. Utilizar estratégias, conceitos, definições e procedimentos matemáticos para interpretar, construir modelos e resolver problemas em diversos contextos, analisando a plausibilidade dos resultados e a adequação das soluções propostas, de modo a construir argumentação consistente.

4. Fazer observações sistemáticas de aspectos quantitativos e qualitativos presentes nas práticas sociais e culturais, de modo a investigar, organizar, representar e comunicar informações relevantes, para interpretá-las e avaliá-las crítica e eticamente, produzindo argumentos convincentes.

5. Desenvolver e/ou discutir projetos que abordem, sobretudo, questões de urgência social, com base em princípios éticos, democráticos, sustentáveis e solidários, valorizando a diversidade de opiniões de indivíduos e de grupos sociais, sem preconceitos de qualquer natureza.

6. Utilizar estratégias, conceitos e procedimentos matemáticos para interpretar situações em diversos contextos, sejam atividades cotidianas, sejam fatos das Ciências da Natureza

e Humanas, das questões socioeconômicas ou tecnológicas, divulgados por diferentes meios, de modo a contribuir para uma formação geral e integral.

Todas essas competências devem ser trabalhadas ao longo de aulas motivadoras e inovadoras, por meio das quais os alunos poderão construir seu próprio conhecimento e refletir sobre sua própria vida, seu lugar no mundo e de que maneira o conhecimento matemático pode ser utilizado em prol do próprio desenvolvimento e em benefício do bem comum. Por isso, caro leitor, sempre que possível incentive em seus filhos e alunos a reflexão sobre a matemática como sendo uma ciência que está a serviço das pessoas, do mundo e da cidadania!

Per Regnum Christi ad Gloriam Dei!

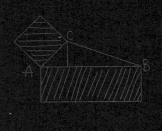

Apêndice

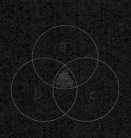

$\left(\dfrac{a}{B}\right)^n = \dfrac{a^n}{B^n}$

$x^2 + \left(y^2 - \sqrt[3]{x^2}\right)^2 = 1$

$csc(-x) = -csc(x)$

$\lim\limits_{h \to 0} \dfrac{f(x_0 + h) - f(x_0)}{h}$

O Princípio da Casa dos Pombos na educação básica

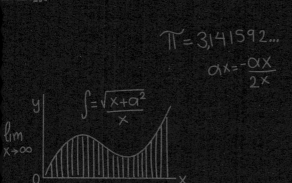

$x_{n+1} = (x_n/2)(3 - ax_n^2)$

$\pi = 3,141592...$

$ax = -\dfrac{ax}{2x}$

Caro professor, este apêndice é especialmente dedicado a você. Tratarei aqui de uma das mais belas teorias matemáticas. Bela tanto por sua simplicidade quanto por sua capacidade de ser, aos olhos dos estudantes, extremamente lúdica, instigadora e motivadora. Tomara que as seguintes palavras sirvam, de algum modo, em sua prática docente e em possíveis aulas encantadoras e desafiadoras.

O Princípio da Casa dos Pombos é uma porta de entrada para temas de suma importância para a matemática e que não são tratados na maior parte dos currículos. Além de importantes, esses temas são bastante acessíveis. Os problemas que podemos formular utilizando tal princípio são muito lúdicos, trazendo consigo um gosto de "quebra-cabeça". Exigem pouca técnica, mas desenvolvem um raciocínio e uma capacidade de argumentar que, normalmente, não trabalhamos com nossos alunos na escola. Outro aspecto importante é que nos permite olhar para a combinatória como um objeto de estudo que ultrapassa os problemas de contagem.

O Princípio da Casa dos Pombos é um assunto que diz respeito ao ensino básico, mas que raramente acabamos abordando na escola, por não ser uma linha necessariamente trafegada nos currículos nacionais brasileiros. Entretanto, é uma rica fonte para formularmos problemas interessantes e, de fato, motivadores para os alunos.

O que essa teoria nos permite resolver são situações combinatórias que não envolvem contagem, mas sim existência. Ao ser falado sobre combinatória, pensamos no ato de contar. Pensamos naquilo que, na escola, se apresenta como análise combinatória, que é o estudo de técnicas de contagem. Mas combinatória, na verdade, é a parte da matemática que lida com conjuntos finitos em geral e, é claro, uma propriedade fundamental dos conjuntos finitos é a quantidade de elementos desses conjuntos. No entanto, muitas vezes, o problema que se coloca não é um problema de contagem, mas sim de existência, isto é: saber se, em um determinado conjunto finito, formado de acordo com algumas regras, podemos garantir a existência de algum elemento com uma determinada propriedade. E é para isso que serve o princípio.

Como mencionado anteriormente, o *Princípio da Casa dos Pombos* diz respeito à existência de algum elemento satisfazendo determinada propriedade. De fato, conforme indicam Morgado, Pitombeira, Carvalho e Fernandez (1992, p. 81):

> A Análise combinatória não se ocupa apenas com a contagem de elementos de

conjuntos. Muitas vezes, o que se deseja é determinar a existência ou não de conjuntos satisfazendo a certas propriedades. Uma ferramenta simples para resolver alguns desses problemas é o *Princípio da Casa dos Pombos.*

Antes de trazermos sua formulação matemática, o Princípio da Casa dos Pombos é motivado por alguns exemplos iniciais. Para o aluno, é melhor começar com exemplos que provoquem a necessidade de formalizar e generalizar aquilo que estamos fazendo.

Exemplo 1. *Se temos 13 pessoas reunidas em uma sala, podemos garantir que haja pelo menos 2 delas fazendo aniversário no mesmo mês?*

Como é o arcabouço mental para pensarmos nesse problema? A maneira como devemos prosseguir é pensarmos que temos 12 casas de pombos (gavetas), que são os meses do ano e, além disso, 13 objetos (os pombos), que são as pessoas. Logo, se temos que colocar 13 objetos em 12 gavetas, necessariamente deverão existir dois objetos em uma mesma gaveta. Essa é uma maneira algorítmica de utilizar o Princípio da Casa dos Pombos.

Podemos optar, também, por uma demonstração mais aritmética: vamos pensar que distribuímos, de alguma maneira, esses objetos pelas gavetas. Seja x_i o número de pessoas que comemoram o aniversário no mês i, onde $1 \leq i \leq 12$. Então, sabemos que:

$$x_1 + x_2 + \ldots + x_{12} = 13$$

Note que cada x_i é um número natural. Se cada $x_i \leq 1$, isto é, se tivéssemos, no máximo, uma pessoa em cada gaveta, seguiria que a soma $x_1 + x_2 + \ldots + x_{12}$ seria menor ou igual a 12, o que é uma contradição. Portanto, pelo menos algum x_i é maior do que 1 e, com maior razão, maior ou igual a 2.

Vamos agora a outro exemplo interessante:

Exemplo 2. *Escolhem-se 5 pontos aleatoriamente sobre a superfície de um quadrado de lado 2. Mostre que pelo menos dois desses pontos estão a uma distância menor ou igual a $\sqrt{2}$.*

Esse exemplo nos mostra uma bela aplicação do princípio na geometria. Como devemos proceder para resolvê-lo? Em primeiro lugar, dividamos o quadrado de lado 2 em quatro quadrados de lado 1, ligando os pontos médios dos lados opostos, conforme a figura a seguir:

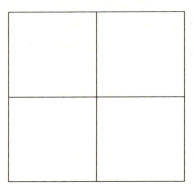

Em seguida, pensemos nos pontos como os objetos (pombos) e nos quadrados menores como gavetas (casas de pombos). Como temos mais objetos que gavetas, necessariamente alguma gaveta receberá mais de um objeto, ou seja, haverá dois pontos no mesmo quadrado de lado 1. A distância entre esses dois pontos é no máximo igual ao comprimento da diagonal do quadrado, que é $\sqrt{2}$. Isso prova o que desejávamos, o que encerra a resolução do Exemplo 2.

Com o raciocínio simples que desenvolvemos até agora, o leitor já é capaz de resolver problemas envolvendo o Princípio da Casa dos Pombos. Abaixo, deixo dois exercícios, com dicas, para que o leitor se aventure nesse tema.

Exercício 1. Em cada casa de um tabuleiro 3 x 3 é colocado um dos seguintes números: -1, 0, 1. Prove que, dentre as oito somas ao longo de uma mesma linha, coluna ou diagonal, existem duas iguais.

Dica: observe que a soma de três números ao longo de uma mesma linha, coluna ou diagonal varia no conjunto $\{-3, -2, -1, 0, 1, 2, 3\}$ e utilize o Princípio da Casa dos Pombos.

Exercício 2. Prove que existe uma potência de 3 terminada nos dígitos 001 (na base decimal).

Dica: utilize o Princípio da Casa dos Pombos para demonstrar que existem duas potências de 3 com o mesmo resto na divisão por 1000.

O próximo exemplo nos mostra que o Princípio da Casa dos Pombos nem sempre é tão simples de ser utilizado.

Exemplo 3. *Mostre que, em uma reunião com n pessoas, há sempre 2 delas com o mesmo número de conhecidos.*

Para se resolver o problema, admitiremos que a propriedade de conhecer um ao outro seja *simétrica*, isto é, uma pessoa A conhece uma pessoa B se, e somente se, B conhece A. Nesse exemplo, não temos dificuldade em identificar quem são os objetos (pombos) e quem são as gavetas (as casas de pombos). Entretanto, a aplicação do princípio não será tão simples quanto nos exemplos anteriores.

As gavetas serão o número de conhecidos de uma determinada pessoa. Portanto, o número de conhecidos varia entre 0 e $n-1$, ou seja, o número mínimo de conhecidos de uma determinada pessoa varia de 0 (no caso de a pessoa não conhecer ninguém da reunião) até $n-1$ (no caso da pessoa conhecer todos da reunião). Dessa forma, temos um total de n gavetas. Obtemos, então, o mesmo número de gavetas e objetos. Como aplicaremos, neste exemplo, o Princípio da Casa dos Pombos? O fato é que as gavetas 0 e $n-1$ não podem ser usadas simultaneamente. Em outras palavras: se existir na reunião uma pessoa que não tenha nenhum conhecido, então não pode haver outra pessoa que conheça todos da reunião, e reciprocamente, se houver alguém da reunião que conheça todos, não pode haver uma pessoa que não possua nenhum conhecido.

Portanto, são n gavetas, mas apenas $n-1$ delas podem estar simultaneamente em uso. Logo, existem mais objetos do que gavetas e, pelo Princípio da Casa dos Pombos, podemos concluir que haverá alguma gaveta contendo mais de um objeto. Desse modo, haverá, na reunião, pelo menos duas pessoas com o mesmo número de conhecidos, como queríamos demonstrar.

Terminaremos a lista de exemplos mencionando um resultado interessante envolvendo múltiplos e divisores, tema que é bastante trabalhado nos currículos nacionais brasileiros. Nos problemas envolvendo o Princípio da Casa dos Pombos, a dificuldade principal pode ser identificar quem são as gavetas (as casas de pombos), como veremos a seguir:

Exemplo 4. *Escolha dentre os números do conjunto {1, 2, ..., 200}, 101 números. Mostre que, dentre eles, há um par de números tais que algum deles é divisível pelo outro.*

Para se resolver este último exemplo, é importante observar que qualquer número natural n pode ser escrito na forma $n = 2^k . b$, onde k é um inteiro não negativo e b é um natural ímpar. Por exemplo, podemos escrever:

- $10 = 2^1 . 5$;
- $36 = 2^2 . 9$;
- $16 = 2^4 . 1$;
- $25 = 2^0 . 25$.

Portanto, se escolhermos um número qualquer n no conjunto $\{1, 2, \ldots, 200\}$, podemos escrevê-lo na forma $n = 2^k \cdot b$, onde b é algum dos números ímpares 1, 3, 5, ..., 199. Logo, pelo Princípio da Casa dos Pombos, quando escolhemos 101 números do conjunto $\{1, 2, \ldots, 200\}$, pelo menos dois deles terão suas partes ímpares iguais. Denote esses números por n_1 e n_2. Então $n_1 = 2^{k_1} \cdot b$ e $n_2 = 2^{k_2} \cdot b$. Temos agora dois casos para serem analisados:

Caso 1: *Se* $k_1 < k_2$, então o número n_1 dividirá o número n_2, pois temos que a divisão

$$\frac{n_2}{n_1} = \frac{2^{k_2} \cdot b}{2^{k_1} \cdot b} = 2^{k_2 - k_1}$$

resulta em um número inteiro.

Caso 2: *Se* $k_2 < k_1$, então o número n_2 dividirá o número n_1, pois temos que a divisão

$$\frac{n_1}{n_2} = \frac{2^{k_1} \cdot b}{2^{k_2} \cdot b} = 2^{k_1 - k_2}$$

resulta em um número inteiro.

Portanto, concluímos que há um par de números tais que algum deles é divisível pelo outro, como queríamos demonstrar.

Vimos que o Princípio da Casa dos Pombos serve para fazermos afirmativas envolvendo existência. O enunciado é bastante simples e lúdico, e sua formalização matemática que descreve a situação geral é a seguinte:

> **Princípio da Casa dos Pombos**. Se tivermos $n + 1$ pombos para serem colocados em n casas de pombos, então pelo menos uma casa deverá conter dois ou mais pombos.

Existe uma versão mais geral, cujo enunciado é o seguinte:

> **Princípio da Casa dos Pombos Generalizado**. Se tivermos m pombos para serem colocados em n casas de pombos, então uma casa deverá conter pelo menos $\left[\dfrac{m-1}{n}\right] + 1$ pombos.

Demonstração do *Princípio da Casa dos Pombos Generalizado*: com efeito, começo lembrando que a *parte inteira* de um número real x é o maior inteiro $[x]$ que não é maior que x. Dito isso, suponha que a conclusão do Princípio da Casa dos Pombos Generalizado não seja verdadeira. Então, a quantidade de pombos em cada casa seria menor ou igual a $\left[\dfrac{m-1}{n}\right] \le \dfrac{m-1}{n}$. Logo, a quantidade total de pombos seria, no máximo, igual a $n \cdot \dfrac{m-1}{n} = m-1$, o que é uma contradição com o fato de existirem m pombos. Portanto, a conclusão do Princípio da Casa dos Pombos Generalizado é, de fato, verdadeira.

Observação: Note que o Princípio da Casa dos Pombos Generalizado contém o enunciado do Princípio da Casa dos Pombos. Com efeito, se tomarmos no Princípio da Casa dos Pombos Generalizado, obteremos, de fato, o enunciado simples do Princípio da Casa dos Pombos.

Conclusão: Ainda que o Princípio da Casa dos Pombos não seja parte dos currículos nacionais brasileiros, vemos a importância do tema para o desenvolvimento da criatividade matemática nos alunos, além de fomentar, no ambiente escolar, a resolução de problemas desafiadores, que é um dos principais aspectos no processo de ensino-aprendizagem dentro da sala de aula. A partir dos trabalhos desenvolvidos por Polya, trabalha-se a ideia de que o ensino da matemática deve estar focado não tanto na resposta para o problema, mas sim no desenvolvimento do raciocínio para se chegar à solução desejada. Segundo Polya, a resolução de problemas é um forte aliado no processo de ensino-aprendizagem da matemática e deve conter quatros passos básicos: compreender o problema, planejar sua solução, executar o plano e examinar a solução. Nesse sentido, o Princípio da Casa dos Pombos se mostra um forte aliado no desenvolvimento do pensamento matemático dos alunos, contribuindo significativamente no processo de aprendizagem da matemática em sala de aula.

Referências bibliográficas

BARBEIRO, André. Educando para os valores: BNCC e o novo Ensino Médio. *Revista Educação*, São Paulo, 2 fev. 2022. Disponível em: https://revistaeducacao.com.br/2022/02/02/bncc-novo-ensino-medio-edu/. Acesso em: abr. 2022.

BARBEIRO, André. O Princípio da Casa dos Pombos na Educação Básica. *Revista do Clube dos Matemáticos*.

BOALER, Jo. *Mentalidades matemáticas*. Porto Alegre: Editora Penso, 2017.

BOALER, Jo. *O que a matemática tem a ver com isso?* Porto Alegre: Editora Penso, 2019.

BRASIL. *Base Nacional Comum Curricular. Educação é a Base*. Ensino Médio. Brasília: Ministério da Educação, 2018.

DWECK, Carol S. *Mindset*: a nova psicologia do sucesso. São Paulo: Objetiva, 2017.

FRANKL, Viktor. *A vontade de sentido*: fundamentos e aplicações da logoterapia. São Paulo: Paulus, 2011.

HUFF, Darrell. *Como mentir com estatística*. Rio de Janeiro: Intrínseca, 2016.

LÓPEZ QUINTÁS, Alfonso. *Descobrir a grandeza da vida*: introdução à pedagogia do encontro. Trad. Gabriel Perissé. São Paulo: ESDC, 2005.

MORGADO, Augusto C.; CARVALHO, João B. P.; CARVALHO, Paulo C. P.; FERNANDEZ, Fernandez. *Análise combinatória e probabilidade*. Rio de Janeiro: Editora SBM, 1992.

PERISSÉ, Gabriel. *Pedagogia do encontro*. 2a. ed. São Paulo: Eureka!, 2017.

POLYA, G. *A arte de resolver problemas*: um novo aspecto do método matemático. Rio de Janeiro: Interciência, 1995.

ROGERS, Carl. *Tornar-se pessoa*. 7a. ed. Lisboa: Moraes Editores, 1985.

SCHWARTZ, L. *A Mathematician Grappling with His Century*. Basileia: Birkhäuser, 2001.

SOUZA, E. A.; SALVINO, E. A visão de homem em Frankl. *Logos & Existência: Revista da Associação Brasileira de Logoterapia e Análise Existencial*, v. 1, n. 1, 2012.

Livros para mudar o mundo. O seu mundo.

Para conhecer os nossos próximos lançamentos
e títulos disponíveis, acesse:

🌐 www.**citadel**.com.br

f /**citadeleditora**

📷 @**citadeleditora**

🐦 @**citadeleditora**

▶ Citadel – Grupo Editorial

Para mais informações ou dúvidas sobre a obra,
entre em contato conosco por e-mail:

✉ contato@**citadel**.com.br